<삶의 지혜 6>

삶의 흔적이 내는 소리

송근원

<삶의 지혜 6> 삶의 흔적이 내는 소리

발   행 | 2021년 10월 19일
저   자 | 송근원
펴낸이 | 한건희
펴낸곳 | 주식회사 부크크
출판사등록 | 2014.07.15.(제2014-16호)
주   소 | 서울특별시 금천구 가산디지털 1로 119 SK트윈타워 A동 305호
전   화 | 1670-8316
이메일 | info@bookk.co.kr

ISBN | 979-11-372-5971-3
www.bookk.co.kr

시의 형식이란 삶을 담아내는 그릇이다.

아니 씨놓은 글이란 그 사람의 삶을 나타내는 궤적이다.

이 책은 그 동안 써 놓았던 자연을 읊은 시와 시조들, 그리고 우리 삶을 나타내는 수필들을 모아 놓은 것이다.

특히 1부 '삶과 자연의 노래'에서는 봄, 여름, 가을, 겨울을 지나면서 느낀 우리의 삶과 자연을 담담히 노래한 것이다.

그냥 그대로, 있는 그대로, 아니 보고 느끼는 것 그대로 글로 옮겨 놓은 것이다.

그냥 물 흐르듯 붓 가는 대로 그냥 흘려 쓴 것들이어서, 어떤 때는 시로, 어떤 때는 시조로, 어떤 때는 산문으로 표현된 것 그 이상도 그 이하도 아니지만, 읽는 이들이 쓴 이와 느낌을 공유하였으면 좋겠다 싶 어 내 놓은 것이다.

2부 '느끼며 노래하며'에서는 세계 곳곳을 돌아보며 우리와 다른 풍치와 삶을 보면서 느낀 것들을 틈틈이 시와 시조로, 또는 수필로 적어 놓은 것들이다.

세계 이곳저곳을 둘러보면, 자연도 다르고, 그 속에서의 삶도 우리와는 다르다.

이와 같이 다르기는 하지만, 거기에도 누구나 느낄 수밖에 없는 지고한 아름다움이 있고, 우리의 삶과 같은 정서가 있다.

다르면 다른 대로, 같으면 같은 대로, 그저 끄적끄적 못 쓰는 글이나마 그대로 옮겨 놓은 것이긴 하지만, 이 글들 속에는 우리가 모르던 신기한 경치나 위대한 자연의 아름다움에 대한 감탄과 함께 삶과 죽음에 대한 저들의 염원과 정서가 깔려 있다. 그리고 평범한 일상 속에서 느낄 수 있는 저들의 행복과 평화로움을 찾아낼 수 있다.

이러한 글 역시 내 삶의 일부라서 한편으로는 발가벗은 것 같아 부끄럽기도 하지만, 그냥 우리 삶이 그러려니 하면서 담담히 우리들의 삶을 되짚어 볼 수 있다면 고마운 일일 것이다.

3부 '우리말과 우리글'은 그 동안 우리말과 관련하여 써 놓은 에세이들을 모아 놓은 것이다.

우리말, 우리글에 대한 쓴 이의 거친 생각을 담아 놓은 것이니 설혹 쓴 이와 생각이 다를지라도 뭐라 하지 마시고 그냥 웃으며 지나가시기 바란다.

이 책을 내면서 "현명한 자의 입은 마음에 있고, 어리석은 자의 마음은 입에 있다."는 옛말이 자꾸 생각난다.

쓴 이가 느끼고 체험한 것들을 마음에 품지 않고, 글로 내 놓으니 쓴 이는 분명 어리석은 자일 것이다.

　그렇지만 비록 어리석은 자의 입을 빌렸을지라도 읽는 이들이 이 글들을 반추하며 제대로 소화시켜 주면 될 일이라 굳게 믿으면서 이 책을 내 놓는다.

　읽는 이들의 행복을 빈다.

　덧붙여 이 책 표지와 내지에 쓰인 사진들을 무료로 쓸 수 있게 해준 https://pixabay.com/ko에 감사를 전한다.

단기 4338년 5월 정리하고, 4353년에 다시 정리하고

4354년 출판하다

솔뜰

삶과 자연의 노래

꽃 보러 갔더니

꽃 보러 갔더니 ▸ 4 / 솔바람 소리에 귀 열어 놓고 ▸ 6 / 꽃 1 ▸ 9
꽃 2 ▸ 10 / 꽃 3 ▸ 11 / 꽃 4 ▸ 13 / 봄 햇살 맞으면서 ▸ 14
봄맞이하러 ▸ 15 / 꽃비 ▸ 16 / 봄은 꽃이 아니어도 좋아라 ▸ 17
봄비 ▸ 18 / 바람 ▸ 19

밝은 빛 비추면서

밝은 빛 비추면서 ▸ 22 / 야자와 일출 ▸ 23 / 오륙도 일출 ▸ 24
야자는 부부처럼 ▸ 25 / 저녁 바다 ▸ 26 / 노을 ▸ 27 / 낙조 ▸ 28
일몰 1 ▸ 29 / 일몰 2 ▸ 30 / 야경 ▸ 31

가을은 겸그는데

담쟁이 잎 ▶ 34 / 오상고절(傲霜孤節) ▶ 35 / 단풍잎 ▶ 37
단풍과 같아야 ▶ 39 / 야생화 ▶ 40 / 가을 풍경 ▶ 41 / 감 ▶ 43
외로움 ▶ 44 / 이것도 한 세상이네 ▶ 45 / 달 ▶ 47

세월은 흐르고

파도 ▶ 52 / 바다 ▶ 54 / 첫사랑 ▶ 55 / 안개 속의 센텀 ▶ 56
피어나는 바다 안개 ▶ 57 / 광안대교 불꽃놀이 ▶ 58
광안대교 레이져 쇼 ▶ 60 / 울산바위 ▶ 61 / 겨울 풍경 ▶ 62
거기에 서 있었다. ▶ 63 / 연말(年末) ▶ 65

삶의 흔적이 내는 소리

그대 그리움 ▶ 68 / 벗 ▶ 70 / 술 1 ▶ 71 / 술 2 ▶ 72
삶의 흔적이 내는 소리 ▶ 73 / 자연의 숨길 ▶ 74 / 진조마루 ▶ 76
좋은 길 ▶ 78 / 조 노랑 암캐 ▶ 83

느끼고 노래하며

멕시코: 마야의 전설

정복자의 오만일 뿐 ▶ 88 / 무더위 밀림 속에 ▶ 89 / 동북아 신화들이 ▶ 90
품고 있는 역사들 ▶ 91 / 하늘을 나는 사람들 ▶ 92 / 너럭바위 절벽 위에 ▶ 93
인디언 후예들이 ▶ 94

페루: 잉카의 전설

영원을 담는 마추피추의 해시계여 ▶ 96 / 잉카 유적 ▶ 98
가락의 전설들 ▶ 99 / 흘러간 세월 ▶ 100 / 만지며 기도하면 ▶ 101
속아도 웃는 세상 ▶ 102 / 인생길 ▶ 103 / 나즈카 ▶ 104
잉카인의 성생활 ▶ 105

러시아 I: 바이칼의 신목들

여행 ▶ 108 / 다리 ▶ 109 / 바실리 성당 ▶ 110 / 아담한 성당 모습 ▶ 111
바이칼 낙조 ▶ 112 / 신목 ▶ 113 / 언제나 그리던 님 ▶ 114
벼랑 위 하늘 문 ▶ 115

러시아 II: 눈앞의 풍경들

울리면 잊혀지런가 ▶ 118 / 유명 인사들의 무덤 ▶ 119
소원을 빌고 빌며 ▶ 120 / 호루스의 눈 ▶ 121 / 동화 속 궁전 ▶ 122
지하철 역에서 ▶ 123 / 사진기 붙든 손이야 ▶ 124 / 눈물 ▶ 125

마다가스카르 I: 순박한 삶

아이들 ▶ 128 / 호기심 ▶ 129 / 놀이 ▶ 130 / 동심 ▶ 131
요것이 행복이란다 ▶ 132 / 집으로 가는 길 ▶ 133 / 행복한 미소 ▶ 134
평화 ▶ 135 / 장에 가는 길 ▶ 136 / 빛 바랜 세월 속에서 ▶ 137

마다가스카르 II: 시간의 수레바퀴

장례식 풍경 ▶ 140 / 도야지 뛰는 모습 ▶ 141 / 환한 미소 ▶ 142
멈춘 시계 ▶ 143 / 시간의 수레바퀴 ▶ 144 / 바오밥 일출 ▶ 145

바오밥 일몰 ▶ 146 / 돼지 ▶ 147 / 바위산 ▶ 148 / 세월의 씨앗 터져 ▶ 149

아시아: 가는 곳 같을 진대

안개 속의 계림 ▶ 152 / 황산에 안개 끼어 ▶ 153 / 솔 ▶ 154
솔, 바람, 구름, 바위, 그리고 안개 ▶ 155 / 금붕어 튀어 나온 눈 ▶ 156
삶 ▶ 157 / 동굴 속 부처님들 ▶ 158 / 부처님 흉내 내며 ▶ 159
대장경 ▶ 160 / 뱀 ▶ 161 / 가는 곳 같을진대 ▶ 162

터키: 꿈속에 뵈는 건가

목련 ▶ 164 / 이별 ▶ 165 / 룸멜리 요새 ▶ 166 / 목화성 ▶ 167
꿈속에 뵈는 건가 ▶ 168 / 나무에 걸린 항아리 ▶ 169 / 계곡 풍경 ▶ 170
피안을 되새기면서 ▶ 171

중동/이집트: 바람이 모래와 함께

기다림의 여유 ▶ 174 / 바람이 모래와 함께 ▶ 175 / 여명 속의 낙타 ▶ 176
사막과 낙타 ▶ 177 / 나일강 바람 따라 ▶ 178 / 평화를 염원하며 ▶ 179

유럽: 노을 속 그리움

절벽 ▶ 182 / 빙하 ▶ 183 / 구름은 갈 곳 몰라 ▶ 184
한 폭의 동양화 ▶ 185 / 노을 속 그리움 ▶ 186 / 잔잔한 피요르드 ▶ 187
산과 바다 그리고 배 ▶ 188 / 달스니바 정상에서 ▶ 189
어울려 살아감을 ▶ 190 / 일몰 ▶ 191 / 가을 ▶ 192 / 알프스 ▶ 193

북미: 구름 위의 도시

울음 소리 ▶ 196 / 일몰 ▶ 197 / 구름 위의 도시 ▶ 198 / 비상(飛翔) ▶ 199
스카이론 ▶ 200 / 에~ ▶ 201 / 낙엽 ▶ 202 / 남근석 ▶ 203
세월을 측정하는 도구 ▶ 205

우리말과 우리글

우리말, 우리글 I

"논다"와 "나누다" ▶ 210 / "적당히"란 말을 적당히 썼으면 좋겠다. ▶ 212
"다른 것"은 "틀린 것"이 아니다. ▶ 214 / 숫자 읽기 유감 ▶ 218
글자의 성격 ▶ 222 / 한글과 음양 이론 ▶ 225
우리말, 우리글을 중시하는 어문정책을! ▶ 228

우리말, 우리 글 II

우리 성(姓), 우리 이름 ▶ 236 / 우리말 나라 이름 ▶ 248
독도는 어원(語源)으로 보아도 우리 땅이다. ▶ 256
이것도 테스 형에게 물어보아야 하나? ▶ 259

책 소개 ▶ 261

삶과 자연의 노래

꽃 보러 갔더니

밝은 빛 비추면서

가을은 젊그는데

세월은 <u>흐르고</u>

삶의 흔적이 내는 소리

꽃 보러 갔더니

꽃 보러 갔더니

솔바람 소리에 귀 열어 놓고

꽃 1 / 꽃 2 / 꽃 3 / 꽃 4

봄 햇살 맞으면서

봄맞이하러

꽃비

봄은 꽃이 아니라도 좋아라

봄비

바람

꽃 보러 갔더니

2월말에 만개하리라던 신문 기사에 따라, 2월이 다 감을 조바심하던 차, 3월이 시작되던 첫째 날 아침 일찍 마누라를 채근하여 동백꽃 찾아 전라도 강진의 백련사를 찾았는데, 동백은 꽃망울만 맺힌 채 찬바람만 맞고 있고, 차를 따라 주는 소녀 이야기인즉, 이상 기후 때문에 작년 11월에 이미 꽃이 활짝 피었다가 지었다며, 금년 겨울이 추워서 다른 때 같으면 이맘 때 쯤 많이 피었을 것이나, 올해에는 꽃이 활짝 피려면 다음다음 주쯤 되어야 할 것 같다며, 동백은 잎이 무성하여 꽃이 만개해도 벚꽃처럼 화사하지 않고, 오히려 떨어진 꽃잎들이 붉게 펼쳐진 것이 더욱 아름다우니 3월 말 쯤 다시 오시란다.

차향을 마시며, 방 한 모퉁이에 걸려있는 시에 눈이 가니, '자연'을 넘나들며 이미 꽃잎이 되어버린 그 시인의 마음이 마음에 와 닿는다.

삶과 자연의 노래

꽃이 진다고
바람을 탓하랴.
한 잎 주워 찻잔에 띄우면 그만이지.

(2000.3.6)

꽃 보러 갔더니

6

솔바람 소리에
귀 열어 놓고

　　재작년 동백꽃을 보기 위해 전남 강진의 백련암을 찾았다가 꽃은 못
보고 시만 한 수 얻어 왔는데, 이번에도 또 그렇다.

　　할 일은 많고, 마음은 답답하고……. 일단 모든 걸 잊고 맛있는 것
도 먹을 겸 잠시 쉬어야겠다 싶어, 서울에서 내려오는 길에 전라도로
향했다.

　　정읍의 내장산 자락에 있는 〈산 너머〉에 들렀다.

　　이곳은 조용히 앉아 차를 마시며 음악을 들으면 저절로 마음이 개는
곳이라 일부러 찾는 곳 중의 하나이다.

　　자정 가까이 차를 마시며 음악을 듣다가 내장산 산속 여관에서 하루
를 묵고, 다음 날 아침 일찍 영광의 법성포를 들러 굴비를 한 두름 사
가지고 해남으로 향했다.

　　차 트렁크에 있는 굴비 때문인지 몹시 흡족해 하는 집사람을 보니,

삶과 자연의 노래

아침을 먹지 못해 배는 고프지만 마음은 배부르다.

호남고속도로로 목포까지 갔다가 그곳에서 해남으로 간다.

호남고속도로는 개통 이후 처음 타 보는 것인데, 차들이 많지 않아 운전하기가 좋다.

목포에서 해남 가는 길은 언제 보아도 좋다.

특히 영산강 하구 둑 너머로 보이는 산세며, 영암 쪽의 수려한 산들은 볼 때마다 "이곳에서 예술이 발전할 수밖에 없음"을 느끼게 해준다.

저러한 자연이 있는데 예술이 어찌 발전하지 않을 수 있으리오!

어디 이뿐인가!

음식 역시 이곳이 최고이다.

해남의 천일식당에서 허기진 배를 채우고, 강진의 백련암엘 들렸다.

지금쯤 동백꽃이 피었으리라는 기대와 함께……

그러나 동백은 꽃 몽우리만 맺혔을 뿐……. 오늘도 찾는 이의 기대를 저버린다.

그렇지만 그런들 어떠랴. 조금은 아쉽지만, 이곳에는 차와 시가 있는 것을!

백련암에서 차를 마시며, 강진 앞 바다를 그윽이 내려다보면, 그 어떤 욕심도 번민도 저절로 사라진다.

역시 마음을 비우기에 좋은 곳이다.

차와 다과, 그리고 경치…….

잠시 후, 우전차 몇 잔에 점심 때 반주로 먹었던 술기운이 잦아들으려 할 때, 차 주인이 내오는 곡차 한 잔이 다시 술기운을 돋운다.

미닫이를 활짝 열고 찬바람을 맞으니 상쾌하다.

꽃 보러 갔더니

"올 겨울은 따뜻하여 동백이 벌써 피고 지었을 줄 알았다."는 내 말에 차 주인은 "지난 11월부터 꽃봉오리만 맺힌 채, 아직도 그러고 있어요. 아마도 3월 말쯤 필 모양이다."라고 답한다.

꽃 때 한 번 못 맞추는 나그네가 어찌 세상 돌아가는 것을 알랴!

오늘도 만개한 꽃은 못 보고, 벽에 걸린 이름 모를 시인의 시나 한두 수 읊고 돌아갈 수밖에.

물은 흐르고
꽃은 벙그는데
여보게, 벗
차나 한 잔.

솔바람 소리에
귀 열어 놓고
여보게, 벗

차나 먹음세.

(2002.2.25)

삶과 자연의 노래

꽃 1

지난 주말 경주에서의 거리 벚꽃은, 그리고 불국사 대웅전 옆의 목련꽃은 정말 환상적이었다.

자연이 빚어내는 황홀을 어찌 붓으로 다 말할 수 있을 것인가! 내년 식목일쯤 가보기를 원한다.

이 글을 읽을 때쯤이면, 화무십일홍(花無十日紅)이니 이미 그 아름다움은 형태를 바꾸었을 테니까.

(2000.4.10)

꽃 보러 갔더니

꽃 2

이미 어느 덧 꽃은 다 시들었다.

그러나 시들었음에도 거기에는 삶의 미학이 있다.

꽃이 시들지 않는다면, 어찌 열매가 있으랴.

꽃이 피고 짐은 어찌 보면 한 순간의 일이지만, 삶의 한 과정일 뿐, 그렇게 실망스런 일도, 그렇다고 호들갑스럽게 축복해야 할 일도 아닌 것이다.

겉모습의 아름다움에 감탄하기엔 흐르는 세월이 그저 안타깝긴 하지만…….

(2000.4.17)

꽃 3

꽃도 품격이 있게 마련이다.

속을 활짝 벗어 내놓은 꽃은 아무래도 좀 천박하게 느껴진다.

그러나 다소곳이 꽃잎을 오므리고, 속을 잘 보여주지 않는 꽃은 정숙하고 기품이 있어 보인다.

우아함과 천함의 구별이란 쉽게 속을 내보이는가 아닌가에 있다.

속을 보여 주지 않는다 하더라도 그것이 정말 아름다운 것이라면, 그 아름다움이 결코 숨겨지는 것은 아니다.

아름다움이 감추어질 때, 미지(未知)의 아름다움은 우아함이란 포장을 쓰며 나타난다.

원래의 아름다움에 또 다른 아름다움이 더해지면서 그 아름다움의 향기는 더욱 오래 지속되는 것이다.

사람의 품격도 마찬가지가 아닌지 모르겠다.

꽃 보러 갔더니

인격은 드러내려 애를 써봐야 천해 지기 십상이다.

아름다운 인품이란 애써 보여주지 않더라도 그냥 향기를 뿜는 것이다.

고매한 인품은 숨기려 해도 오히려 겸손이란 미덕을 동반하며 알려지기 마련이다.

아무리 자기 PR의 시대라 하더라도 자신을 너무 드러낼 생각보다는 자신을 갈고 닦는 것이 낫다.

(2000.4.24)

삶과 자연의 노래

꽃 4

봄꽃은 아지랑이 피어오르는 봄을 머금고 있어 늘 아름답습니다. 여름꽃은 무더위 속에서 뜨거운 여름을 견뎌내어 늘 고맙습니다. 가을꽃은 찬 서리 속에서 꼿꼿한 기개를 보여주어 늘 기껍습니다. 겨울꽃은 앙상한 가지에서 찬란한 화려함을 피워내니 늘 찬탄합니다.

꽃은 언제 어디서나 늘 좋습니다.

(2020년 어느 날)

꽃 보러 갔더니

봄 햇살 맞으면서

봄 햇살 맞으면서 활짝 핀 벚꽃이여

무엇이 그리 좋아 환한 웃음 짓고 있나

스스로 만족하나니 그 누가 부러울까

(해운대 장산 자락 대천공원에서 2006.4.8)

삶과 자연의 노래

봄맞이하러

화사한 벚꽃들은 제 세상 만났는데
불그레 새 잎들은 애기 티 못 벗었네
아이야, 봄맞이하러 나가보지 않으련?

(해운대 달맞이길에서 2010.4.11)

꽃 보러 갔더니

꽃비

봄은 어디에서나 그리운 이를 그려주는 것이고, 꽃은 어디서나 봄을 머금고 보는 이의 마음에 그리움을 불러주는 것 아닌가요?

비와 바람이 이를 시샘해도, 흩날리는 꽃비는 또 다른 꽃길을 만들어 주며 우리에게 또 다른 그리움을 주는 것 아닌가요? 그리고 나그네 갈 길이 멀어도 잠시 멈추어 아래위 꽃비 속에서 마음속 깊숙이 숨어 있던 그리움을 다시 꺼내 주는 것 아닌가요?

그리움이 따사한 봄바람에 실려 오는 봄소식 같은 것이었으면 좋겠습니다.

(부산 해운대 달맞이고개에서 2021. 3.31)

삶과 자연의 노래

봄은 꽃이 아니어도
좋아라.

봄은 꽃이 아니어도 좋아라.

세파에 찌들지 않은 연두색 봄빛깔이 좋아라.

산들산들 봄바람 맺힌 땀 식히는 데 좋아라.

우짖는 새소리까지도 봄을 머금어서 좋아라.

낙엽 사이로 돋아나는 파릇파릇 새싹들

마치 우리 손주 보는 듯하여 좋아라.

(부산 기장군 곰내 임도에서 2021.4.7)

꽃 보러 갔더니

봄비

밤사이에 봄비 내리더니

대교 너머 오륙도가 성큼 다가왔네.

서로 씻으면

이렇게 가까워질 것을!

(2008.5.6)

바람

바람은 실속 없는 바람둥이다.

건드리기만 하여 상대방의 속을 태울 뿐 모른 체 그냥 지나칠 뿐이다.

바람은 심술보다.

심술이 나서 예쁜 꽃들을 보고 그냥은 지나치지 못한다.

슬며시 건드려야 직성이 풀린다.

그래서 꽃들은 부르르 몸을 떤다.

아무리 그래 봐도 그 사랑 이루어지지 않는다.

바람의 비극성이 여기에 있다.

종(種)이 다르기 때문에 그 사랑 결실을 맺지 못한다. 짝사랑만 하고는 스러지는 운명을 타고 난 것이다.

(2013.10.14)

꽃 보러 갔더니

밝은 빛 비추면서

밝은 빛 비추면서

야자와 일출

오륙도 일출

야자는 부부처럼

저녁 바다

노을

낙조

일몰 1 / 일몰 2

야경

밝은 빛 비추면서

저 너머 동해 바다 해님이 나오시네
밝은 빛 비추면서 이 세상 밝히는데
하루를 여는 나그네 그 무엇을 생각하나

동녘이 밝아오고 어둠이 물러가면
우뚝 선 저 빌딩도 희망을 품고 있네
새벽을 여는 이 아침 즐겨 맞이하노라

(부산 수영에서 2015.10.26)

삶과 자연의 노래

야자와 일출

야자나무 사이로 솟아오른 아침 해여
네 비록 막아서나 내 어찌 그만 둘까
희망은 야자 잎 뚫고 보석처럼 빛나네

(제주 함덕에서 2014.10.16)

밝은 빛 비추면서

오륙도 일출

동해 바다 저쪽에서 희망은 떠오르고
한 폭의 액자 속에 오륙도 들어 있네
바다는 그 희망 받아 금빛으로 빛나네

(부산 백운포에서 2015.10.26)

삶과 자연의 노래

야자는 부부처럼

야자는 부부처럼 사이좋게 서 있는데

새 아침 밝아오며 새 희망 비춰주네

우리도 저 야자처럼 희망 품고 사세나

(제주 함덕에서 2014.10.16)

밝은 빛 비추면서

저녁 바다

오륙도 멀리 두고 여기 와 앉으면서

돛 내린 돛단배는 그 누굴 기다리나

아마도 내일 또다시 새로움을 찾아서

(부산 해운대 우동에서 2015.10.31)

삶과 자연의 노래

노을

지는 해 맞으면서 수줍게도 낯 붉히며
저 하늘 저 한 편에 한 자리 차지하곤
오늘도 저물어가는 미련만 남겨 놓네

서녘 저 하늘가에 울긋불긋 수놓으며
서운한 그 마음은 가슴 속에 묻어 놓고
겉으론 웃어가면서 잘 가시라 비켜 서네

사랑을 말하기엔 아직도 철이 없어
보내는 이 마음이 아직도 서럽구나
내 마음 갈 곳을 몰라 하늘가에 머무네

(2013.10.14)

밝은 빛 비추면서

낙조

저 바다 너머너머 내 갈 길 간다마는

미련이 아직 남아 발걸음 덜 떨어져

마지막 서러운 빛을 화려하게 남기네

(부산 다대포 몰운대에서 2011.6.21)

삶과 자연의 노래

일몰 1

지는 해 햇빛 받아 갈대는 뚜렷한데
구름은 무심하고 바다는 말이 없네
이 그림 언제까지나 영원했음 좋겠네

오늘도 우리 해님 제 갈 길 가면서도
잔잔한 수면 위에 붉은 비단 깔아 놓네
그것을 사진에 담는 아름다운 마음이여!

해님은 지면서도 정열을 뿜어내어
온 세상 물들이며 그림 한 폭 선사하네
좀 있음 사라질 텐데 안타까워 하노라

(제주 애월에서 지는 해를 바라보며 2014.10.16)

밝은 빛 비추면서

일몰 2

해넘이 황홀한 빛 세상에 뿌려대니

은슬은 부끄러워 물든 얼굴 숨기누나

섬들은 고개 숙이며 내일을 기약하네

(제주에서 장흥으로 오는 길에 2011.7.20

삶과 자연의 노래

야경

캄캄한 밤바다의 가로등 외로운데

노오란 모래사장 초록빛 파도 소리

저마다 바쁜 세상에 불을 밝힌 사람들

(부산 해운대에서 2013.10.19)

밝은 빛 비추면서

가을은 졈그는데

담쟁이 잎

오상고절(傲霜孤節)

단풍잎

단풍과 같아야

야생화

가을 풍경

감

외로움

이것도 한 세상이네

달

34

담쟁이 잎

무에 부끄러워 그렇게 얼굴을 붉히는지

저 붉은 도포 휘날리며 살포시 나타나는 아침 해가

단지 너만의 낭군도 아닌데…….

(2013년 가을)

삶과 자연의 노래

오상고절(傲霜孤節)

산 너머
숲 속에 피어있는 한 송이 국화꽃
지난 밤 찬 서리 속에서도 가을 하늘처럼 높은 단아한 기품을
담담히 그대로 풍기고 있으니…….

말없이 미소 짓는 그대 웃음 속에
애틋한 사랑의 아픔과
절제된 봄의 기운은
그대로 녹아들어 내생의 인연으로 남기어 두었네.

전생에 무슨 인연이 있기에
그 고아한 아름다움을

가을은 졈그는데

이리도 홀로이 저 산 너미에서 깊숙이 숨기고 있는가?

세상은 몰라주어도
꽃 피우는 마음속에 곱게 담아둔
동글동글 맺힌
사랑의 이슬은
이제 화안한 국화꽃으로, 영원한 마음으로 피어났다네.

지나간 아픔의 시간 속에서
끈끈이 가꾸어온
아름다운 절개,
슬픈 기다림의 역사 속에서
더 더욱 꿋꿋하고
은은히 빛나는 그 기품이여.

(2001.11.12)

삶과 자연의 노래

단풍잎

어쩌다 이파리가 꽃보다 빨개졌나
사연이 녹아들어 꽃처럼 되었구나
그 동안 겪은 이야기 한바탕 풀어보렴

발갛고 노오란 색동옷 차려입고
바람이 부끄러워 옷깃을 여미면서
먼 먼 길 떠나가려고 몸단장이 한창이네

가을이 다시오면 내 님도 오시려나
찬 서리 맞으면서 옷들을 갈아입네
그래도 무심한 님은 소식 한 점 없구나

가을은 겸그는데

바람의 속삭임에 님 찾아 떠난다네
저녁놀 찾아올 제 거리를 헤메이나
찾던 님 어데 있는지 알 길 막막하여라

찬란한 아름다움 이제는 뒤로 하고
잠자리 뒤척이며 서서히 야위어가네
그리곤 떠나간다네 다음 생을 믿으며

찬바람 찾아오면 옷들을 갈아입고
저녁노을 질 때면 바람 따라 떠난다네
그리운 내 님 찾아서 길거리를 헤매네

찬란한 아름다움 여기 있다 뽐내면서
새 세상 찾아나서 먼먼 여행 떠나누나
우리도 이와 같으면 그 얼마나 좋을까

그 누가 뭐라 하나 그것이 한 생인 걸
떨어진 단풍잎은 그래도 아름다워
저러한 단풍잎처럼 곱게 곱게 늙으리

(2013.10.28)

삶과 자연의 노래

단풍과 같아야

떨어질 날이 가깝기 때문에 단풍은 더욱 더 아름답게 비치는 모양이다.

할 일을 다 하고 떨어질 날을 기다리며, 아름답게 존재하는 것만큼 아름다운 것은 없다.

우리의 인생도 단풍과 같다면……,

그것은 성공한 삶이 아닐까요?

(1999.10.18)

가을은 졈그는데

야생화

한 송이 들꽃으로 이름 없이 피었으나
외로움 쌓이고 쌓인 곱디고운 그 향기엔
지나간 세월의 흔적 고스란히 남아 있네.

조그만 꽃 한 송이 홀로이 피었는데
무언가 보여줄 듯 제풀에 망서리네
참으로 안타까운 그 마음이 이뻤어라

새벽이슬 맞아가며 한 평생 홀로 견딘
쓰라린 아픔들을 씨앗으로 열매 맺어
불어오는 저 바람 편에 나의 뜻을 전하리

(2013.10.8)

가을 풍경

하늘이 연출하는 가을 풍경 속에는
내 님의 고운 마음 가득히 담겨 있어
나는야 그대와 함께 그 속에서 헤매네

그 색깔 그 모습이 너무나 황홀해서
헤어질 서글픔은 한동안 잊었었네
놔둬라 헤지더라도 지금을 즐기리니

그 안에 품은 뜻을 한동안 잊었구나
다가올 슬픔쯤은 어딘가에 제쳐놓고
어이해 나그네 넋을 그렇게도 빼가나

가을은 겸그는데

보일 것 안 보일 것 분별하여 가면서
이 세상 걸러내어 어렴풋이 보여주며
보아선 아니 될 것만 슬그머니 감추네

(2013년 가을)

삶과 자연의 노래

감

구부러진 가지마다 오손도손 모여 앉아
따스한 정 속에서 행복을 함께하며
먼 하늘 우러르면서 빈 하늘을 수놓네

굽이진 가지마다 가을 햇살 담아내고
아련한 기억들을 저마다 찾아내어
오순도순 모여 앉아 옛이야기 나누네

빈 가을 끝자락에 돌아서고 싶었을 때
따스한 정을 주며 나에게 안겼던 이
미련만 남기고서는 어디로 사라졌나

(2013년 가을)

가을은 젊그는데

외로움

소리 없이 내리는 가을비 속엔
돌릴 수 없는 외로움이 숨어 있지요.

서늘한 바람에 슬픔이 실려 오면
우리의 사랑도 기억을 좇아 하늘의 별이 되지요.

슬픔과 외로움이 다가올 때에
우리는 동구 밖 우둑히 서 있는 장승이 되지요.

(2020년 가을)

삶과 자연의 노래

이것도 한 세상이네

솔 사이로 부는 바람 거문고 타는 듯하고
산새들의 지저귐은 한 가락 노래여라
이것도 한 세상이네 자연 속의 삶이라

붉어지는 단풍잎은 내 삶을 노래하고
구름 속의 가을 달은 한 폭의 풍경화네
요로콤 살아가는데 그 누구가 샘내랴

옛날을 되뇌어도 모든 게 부질없고
삶과 죽음이란 여기서 저기라네
자연과 한마음 되어 그럭저럭 살리라

가을은 겸그는데

어디서 거문고 타는 듯한 소리가 들리어 창밖을 내다보니 솔 사이로 부는 바람이 바로 그 원흉이다. 여기에 맞추어 산새들이 지저귀니 잘 어울리는 한가락 노랫소리이다. 이러한 삶속에서 그 무엇을 바라겠는가!

고개를 돌리어 붉어지는 단풍잎을 바라보니 마치 내 삶을 노래하는 듯하고, 구름 속에서 갸웃이 고개 내미는 가을 달이 나를 엿보는 듯하다.

이러한 자연 속에서 옛날을 회상해 봐야 모든 게 부질없는 허상의 연속일 뿐이고, 삶과 죽음이란 그리 멀리 떨어져 있는 것이 아니라 바로 여기서 저기인데, 나는 아직도 꿈속에서 허덕이는 불쌍한 군상들 중 하나일 따름이다.

언제나 자연과 하나 되어 좀 더 자유스러워질 것인가!

(2020년 가을)

삶과 자연의 노래

달

1 저녁에 뜨는 달을 잡으려 수변공원으로 나간다.

한가위 대보름 다음날 저녁이다.

마린시티라고 하던가, 주책없이 지만 우뚝 솟은 우동의 큰 빌딩 사이로 달이 얼굴을 내미는데, 어제 본 보름달보다 훨씬 더 크다.

그 달을 잡으려 수변공원의 계단 밑으로 내려갔더니 달도 그만 건물 밑으로 내려가 버린다.

다시 계단을 오르니 달도 하늘로 오른다.

내가 밑으로 내려가면 달도 밑으로 내려가고, 내가 올라가면 달도 올라간다.

나만 오르락내리락 수선일 뿐, 알듯 모르듯 달은 그저 그렇게 제자리를 지키고 있을 뿐인데, 내가 내려가면 달도 내려가고 내가 올라가면 달도 올라가는 것은 웬일인가?

가을은 졈그는데

꿈도 이와 같다. 잡으려 하나 잡히지 않으니 그저 마음에 품을 수밖에 없다.

아직도 날씨가 덥다.

이쪽저쪽 바람 쐬러 나온 많은 사람들을 구경하는데, 달이 건물들 사이로 다시 얼굴을 내민다.

그리고는 한참 해찰을 하다 보면 어느 새 빌딩 저 위로 솟아올라 있다.

그렇다.

때로는 기다리는 것이 정답이다.

달을 찾아 오르락내리락 할 것이 아니라 그저 시원한 바닷바람 쐬며 주변을 둘러보다가 가끔 고개만 쳐들어 확인하면 된다.

저쪽으로는 광안대교의 불빛이 아름답고, 여기저기 둘러앉은 사람들은 모두 즐거워한다.

좋은 사람들끼리 둘러 앉아 먹고 마시는데, 안 즐거울 수가 있겠는가!

달빛 좋지, 바람 좋지, 사람 좋지, 게다가 술도 좋고 안주도 좋지, 그저 매일 매일이 한가위만 같아라!

② 마음에 품은 달을 행여나 잃을까봐 서둘러 집에 와 이불 속에 넣는다.

그런데 새벽에 일어나보니 달은 어느새 사라지고 빈자리만 휑~하다.

서둘러 나와 찾아보니 달은 이미 서북쪽 하늘가에 걸려 있다.

삶과 자연의 노래

저 달도 가기가 싫은지 벌써 동이 텄건만 아직까지 저 쪽 먼 하늘 가에서 머뭇거리고 있다.

가는 달이 아까워 잡으려 산을 오르는데 달은 벌써 숲속에 숨어버린다.

어제 밤 찾아온 달 마음에 품었는데
새벽에 깨어 보니 빈자리만 허허하네
집 나와 찾아보니 유천(幽天)에 걸려 있네

새벽에 가는 달도 미련이 남아 있어
저 서쪽 하늘가에 머뭇머뭇 걸려 있네
그대로 잡으려 하나 내 손은 닿질 않네

(2013.9.21.--음력 한가위 다음다음날)

가을은 졈그는데

세월은 흐르고

파도

바다

첫사랑

안개 속의 센텀

피어나는 바다 안개

광안대교 불꽃놀이

광안대교 레이져 쇼

울산바위

겨울 풍경

거기에 서 있었다.

연말(年末)

파도

그대의 텅 빈 가슴을

마음속에 가없이 품으며

간직해 놓은 채

밀려오는

그윽한 슬픔을……

부딪고 부딪는 그 아픔 속엔 얼마나 많은 사연이 있었던가?

그 조그마한 포말 속에

부디며 부딪치며

느껴지는 그 사연들

우리 모두의 슬픔인 것을!

삶과 자연의 노래

하이얀 마음, 철썩이는 마음,

되돌아보며 또다시 흔들리는 마음,

부딪고 부딪치며 처연히 사라져 가는 말 없는 그 사연들이여…….

(부산 수영구 광안리 앞 바다에서 2001년 12월 10일)

세월은 흐르고

바다

바다는 우리에게 포근한 엄마의 품과 같다.

모든 것을 받아주면서 말이 없다.

그러다가 새벽이 되면,

넉넉히 받아주었던 우리의 회한과 아픔을,

삭히지 못한 회한과 아픔을

슬며시 뱉어 놓는다.

그래서 바다는 늘 깨끗하다.

온갖 죄악과 온갖 더러움을 늘 받아들이면서도…….

(부산 수영구 광안리 앞 바다에서 2003년 어느 날)

삶과 자연의 노래

첫사랑

첫사랑 떠났을 땐 그렇게 아팠었지
불현듯 그리우니 너무나 서글펐다
에라이 막걸리 먹고 취해보면 어떠리

첫사랑 떠났을 땐 그렇게 아팠었지
다시 또 그리우면 찾는 게 술잔이라
막걸리 사랑이라면 조금은 덜 아플 걸

(2013년 가을 어느 날)

세월은 흐르고

안개 속의 센텀

안개가 피어올라 도시가 떠오르니

추억 속 우리 님도 다 함께 그려지네

선계가 따로 있을까 꿈에 본 듯하구나

(부산 수영구에서 수영강너머 센텀을 바라보며 2008.8.5)

삶과 자연의 노래

피어나는 바다 안개

피어나는 바다 안개 이기대 감싸 안고

푸른 바다 마주하며 등대는 초연한데

그 앞의 광안대교만 우리 인연 이어준다

(부산 수영구 광안리 앞 바다에서 2008.8.4)

세월은 흐르고

광안대교
불꽃놀이

무엇을 주시려고 그 몸을 불사르나
깊어가는 가을밤 하늘가에 수를 놓며
내 님아 기억하소서 지난 날의 설렘을

온 몸을 불태우며 세상을 깨우쳐도
현란한 겉모습에 두 눈이 현혹되어
아무도 보지 않누나 깊고 깊은 그 뜻을

찬란한 불꽃 속에 비치는 님의 모습
얼마나 기다렸나 보고 싶던 내 사랑
잠시만 기다려주오 기억 속에 묻으리

삶과 자연의 노래

불꽃은 잠깐이요 사랑은 영원이라
찬란한 빛 빗대어 사랑을 노래하네
불꽃은 사그라져도 나의 사랑 남기리

어둔 밤 하늘 높이 솟구쳐 올라가서
자태를 뽐내는데 별보다 아름답네
모든 이 나를 보소서 찬란한 내 모습을

무언가 이 세상에 남기고 싶은 마음
어두운 밤하늘에 온 몸을 불태우며
내 사랑 보시고 있나 아름다운 내 사연을

모든 건 한 순간의 화려한 꿈이던가
세상은 처음처럼 어둠에 묻히는데
우리가 맺은 인연도 속절없이 가누나

(2013년 10월)

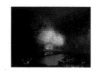

세월은 흐르고

광안대교
레이져쇼

세상을 이어주는 바다 위 광안대교
하늘로 뻗어가는 새 빛이 아름답다
따뜻한 마음 주면서 우리 희망 솟으리

세상을 이어주는 광안대교의 불빛이 참으로 아름답다.
하늘로 뻗어가는 저 불빛처럼
그렇게 뻗어나가길...

(부산 수영구 광안리 앞 바디에서 2008.10.17)

삶과 자연의 노래

울산바위

한달음 달려와서 이곳에 터를 잡고

바다 안개 시샘마저 저 아래 내어준 채

여유를 내려다보며 도도하게 솟아 있네

　　　　　　　　　(설악 울산 바위를 미시령 고개에서 찍고 2011.6.15)

세월은 흐르고

겨울 풍경

눈앞의 찔레나무 힘차게 뻗어 있고
호숫가 소리 없이 그림자 반겨주면
저 속을 거니는 사람 그 무엇을 생각하나

(부산 해운대 대천공원에서 2006.12.3)

삶과 자연의 노래

거기에 서 있었다.

거기에 서 있었다.

비 오면 비 맞고
눈 내리면 눈 맞고
바람 불면 바람을 맞으면서
나는 늘 그렇게 거기에 서 있었다.
언제나 사랑하는 님이 올까
그 님 맞으려 나는 그렇게 그냥 서 있었다.

나는 거기에 서 있었다.
어제도 오늘도, 그리고 내일도 아마 그렇게 서 있을 것이다.
님은 버얼써 왔건만, 그것은 잠시 찰나에 지나지 않았다.

세월은 흐르고

다시 가신 님 언제나 다시 올까, 그러면서 그렇게 서 있었다.
비와 눈과 바람과 님을
맞으며 보내며 맞으며 보내며
나는 늘 그렇게 서 있었다.

오면 반갑고 감사하지만, 그렇지 않은 날 나는 늘 우울해 했다.
이젠 그 우울도 비와 눈과 바람과 함께
내가 맞는 일상이 되었다.

(2008.5.9)

삶과 자연의 노래

연말(年末)

영겁의 시간 속에서
흔들리며 걸어가는 말없는 군상(群像)들
올해도 또 그렇게 역사(歷史)되어 흐르는구나.

아무도 알아채지 못한,
그대조차 모르게 슬며시 간직한 나만의 사연들
서글픈 기억 속에 슬며시 역사(歷史)되어 흐르는구나.

미움 가득한 그리움도
그리움 가득한 미움도
안타까움 속에 그냥 그렇게 역사(歷史)되어 흐르는구나.

세월은 흐르고

그리움도 미움도 안타까움까지도

아스라이 지나치는 아련한 사연들

망각 속에 각인시켜 저 멀리 날려 보내, 그저 그렇게 잊힘의 역사

(歷史)되어 흐르는구나.

(2001.12.15)

삶과 자연의 노래

삶의 흔적이 내는 소리

그대 그리움

벗

술 1 / 술 2

삶의 흔적이 내는 소리

자연의 숨길

진조마루

좋은 길

조 노랑 암캐

그대 그리움

그대 그리움은 봄처럼 찾아왔다 가을처럼 돌아가는 것
그리고 또 다른 봄을 기다리는 것

그대 그리움은 겨우내 눈꽃 그늘에 숨었다가
다가오는 봄처럼 움터 오는 것

그대 그리움은 봄볕 아지랑이처럼 어지러운 것
그러다 슬퍼지는 것

그대 그리움은……

그대 그리움은 봄처럼 찾아왔다 가을처럼 돌아가는 것이고, 기다리다 지쳐버린 한겨울의 눈꽃처럼 서럽게 피어나다 새봄이 오면 다시 새록새록 움터오는 것이며, 봄볕 아지랑이처럼 가물가물 어지럽다가 말없이 슬퍼지는 것이고, 한여름 뙤약볕 돌담 아래 축 늘어진 몸뚱아리 같은 것이기도 하며, 초가을 늦은 밤 은은히 비치는 달빛 같은 것이며, 늦가을 서리 맞은 감처럼 달콤한 기억 속으로 소리 없이 사라지는 것이어서 말없이 슬퍼지는 것이기도 하다.

그러다 새봄이 오면 따사한 봄바람에 또다시 실려 오는 봄소식 같은 것이 그대 그리움이다.

(2021.3.28)

삶의 흔적이 내는 소리

벗

1️⃣ 녹음이 흘러넘쳐 푸르른 강물 되어

나그네 시름 따라 소리 없이 흐르는데

서울에 두고 온 벗 슬그머니 생각나네.

(2013.6.2)

2️⃣ 세월 앞에 식지 않는 사랑은 없지만, 우정은 오래될수록 빛이

난다. 혼자 먹는 술은 독이 된다.

삶과 자연의 노래

술 1

맥주를 마셔볼까 막걸리 들이킬까
폭탄주 만들어서 세상을 담아볼까
오늘도 소주 한 잔에 지난 세월 녹이네

님 그린 모든 사연 술잔에 채워두고
그윽히 바라보다 꼴까닥 삼키려니
님 얼굴 떠오르면서 헤롱헤롱 하더라

빈 잔을 채우는 건 그대의 눈물이요
헛웃음 켜는 것은 우리의 아픔이라
모두 다 한 잔에 녹여 취하면서 잊으리

(2013 가을)

삶의 흔적이 내는 소리

술 2

그리워 시를 쓰고 외로워 술 마시네
꿈속의 그대 모습 아련히 떠오를 제
달빛에 그리움 담아 술잔 위에 띄운다.

(2014 가을)

삶과 자연의 노래

삶의 흔적이 내는 소리

그대 낙엽 푹 쌓인 그 길을 걸어본 적 있는가?
바스락 깨어나는 소리에 까막까치 우짖는 소리를 들어본 적 있는가?
나는 오늘 저 산길을 걷는다.
낙엽 수북 쌓인 산길을.

발밑엔
바스락 바스락 삶의 흔적들
조용히 사라지며 내일을 꿈꾸는 소리

(2020.12.23)

자연의 숨결

오롯이 쌓인 눈 속에서
자연의 숨결을 느껴 보는 것도
운치가 있겠지요.

하얀 숨 품어가며
얼은 손 호호 불어가며
들고 온 술병에 입술을 맞대는 것도
겨울 속의 낭만이 아닐런지요.

바스라이 밟히는 낙엽 속에서
스러져 가는 자연의 소리를 즐기는 것은
그대 매조키스트적 환상은 아닐런지요.

삶과 자연의 노래

밟히면서 내미는 즐거운 신음 소리

그것은 밟아달라는 새디스트의 아우성이 아닐런지요.

그러면서 조용히

어미의 품으로 돌아가는 즐거운 여행길은 아닐런지요.

(눈과 낙엽이 쌓인 대모산을 걸으며 1997.1.12)

삶의 흔적이 내는 소리

진조마루

미월드 옆길로 진조마루를 오른다.

이 시간에는 수탉이 목청을 높여 울어야 하는데, 이제 그 수탉이 없다. 6월30일자로 미월드가 문을 닫은 까닭이다.

수탉뿐이 아니라 암탉도, 토끼도 있었고, 까만 염생이 새끼들도 껑충껑충 뛰며 진조마루에서 사람을 피하며 풀을 뜯었었는데, 이제 이들을 모두 볼 수 없다. 모두 떠나고 빈터에는 박만 몇 개 매달려 있을 뿐이다.

이 자리에 호텔을 짓는다 했던가!

본디 진조마루 남쪽 산기슭을 헐어내고 지은 놀이터라서 욕을 많이 먹어 그랬는지, 진조마루 산신령이 노여워서 그랬는지 장사가 안 되어 손해만 보고 빈손으로 모두 떠난 것이다.

그렇지만 잘 되어 떠나지 못하고 어쩔 수 없이 떠난 것을 보니 안

되었다는 생각이 든다. 자연을 훼손하고 그 값을 받은 거려니 하겠지만 안 된 건 안 된 것이다.

어찌되었든 수탉이 소리 높여 내지르는 울음소리가 그리웁고 우리를 피해 껑충껑충 뛰던 염생이 새끼들이 그립다.

그래도 그러한 정겨운 풍경이 있어서 좋았는데…….

아직은 그나마 매미소리와 풀벌레 소리가 이들을 대신해주고 있건 만, 쓸쓸한 건 쓸쓸한 것이다.

새로 들어온다는 호텔은 잘 되어야 할 텐데…….

진조마루 산신령의 노여움은 언제나 풀리려냐!

(2013.8.20)

삶의 흔적이 내는 소리

좋은 길

코로나 때문에 방에만 콕 박혀 있었더니 허리도 아프고, 이건 도저히 할 일이 아니다.

허리 아플 때에는 산보라도 하여 허리 근육을 단련시켜야 한다.

그래서 나선다.

집 앞 수영강변을 걷는 것도 좋긴 하지만, 너무 사람들이 많이 다닌다.

마스크를 쓰고 있으면 안 될 건 아니지만, 오랫동안 걷다보면 입김 때문에 마스크 안이 후덥덥 답답해진다. 사람이 없으면 잠깐이라도 벗었다가 다시 쓰면 되는데, 여긴 늘 사람들이 많이 다니니 그럴 수도 없다.

그렇다고 산으로 가자니 부산의 산이라는 게 거의 대부분 돌산인데다 경사가 비교적 급한 편이다. 산 둘레에 길을 내 놓으면 좀 괜찮을 텐데, 둘레길이 별로 없다.

황령산도 그렇고, 장산도 그렇고, 불광산도 그렇다. 계속 오르려면, 숨이 차고 종아리가 땡긴다. 노인네들을 위해서라도 둘레길을 만들어 놓으면 좋을 텐데…….

한편 이기대 바닷가 길 역시 노인들에겐 오르막이 심한 편이다.

그저 조금 오르다가 조금 내려가다 반복하면서 오르는 길이 없을까?

그러던 중 발견한 것이 청사포에서 구덕포가는 길이다. 옛 동해남부선 철길엔 관광열차가 다니고, 그 밑 바다 쪽에는 철길과 나란히 인공으로 조성된 데크(deck) 길이 놓여 있다.

이 길을 걷다보면 그 중간에 마치 바다로 나아가는 뱀의 머리마냥 바다로 쏙 나와 있는 갈지자 모양의 청사포 다릿돌 전망대가 있다.

이 전망대는 가운데 밑바닥이 유리로 되어 있어 여길 걸으려면 담력이 필요하다. 임산부나 담력이 약하신 분들은 눈으로 먼 바다를 보고 옆으로 난 데크로 된 길을 따라 걸으면 된다. 만약 유리로 된 바닥위로 걷는다면 결코 밑을 보면 안 된다.

주의하시라!

청사포에서 구덕포로 가는 데크 길은 바다를 끼고 가는 까닭에 바닷바람을 맞으며 바다를 보면서 갈 수 있다는 장점이 있으나, 오르막 내리막이 없고, 햇볕에 그대로 노출되어 있다는 것이 단점이다.

또한 이 길엔 역시 사람들이 북적인다. 가끔 가다 마스크를 벗을 수가 없어 후덥덥한 마스크로 숨을 쉬며 걸어야 한다.

그렇지만 이러한 단점을 보완해줄 수 있는, 이 데크 길 위 산기슭 쪽으로 난, 오솔길이 있다. 청사포에서 구덕포로 넘어 가는 숲길이다.

삶의 흔적이 내는 소리

80

 이 길은 숲속으로 난 비교적 평탄한 길인데, 공기도 맑고, 그늘도 지고, 바다를 전망할 수 있으며, 오르막 내리막이 없는 것은 아니지만 적당히 운동이 될 정도이니 칠십 노인이 걷기에는 정말 안성맞춤이다.

 또한 이 길을 가다보면 약 10~15미터 위에 또 다른 숲길이 비슷하게 나 있어 왕복하기에도 좋다.

 또한 청사포 쪽 숲길 입구에는 옥이네 보리밥집이 있는데, 이집 음식이 건강식이고 맛있어 점심 먹기에도 좋고, 숲 입구로 통하는 한길 가에는 주차하기도 좋다.

 하지만 이 길은 짧은 것이 흠이라면 흠이다. 차를 주차하고 구덕포까지 왕복해야 1시간이 채 안 걸린다.

 그렇다고 두 번 왕복하기는 싫고, 구덕포를 지나 송정해수욕장까지 갔다가 돌아오면 어느 정도 운동이 된다.

 그렇지만, 이보다 더 좋은 길은 미포에서부터 청사포까지 걷는 길이다.

 이른바 문텐로드라고 부르는 이 길은 청사포에서 구덕포 넘어가는 길보다 조금 더 길기 때문에, 그리고 오르막 내리막이 죽죽 뻗은 소나무들 사이로 난 숲길이어서 공기도 맑고, 전망도 좋고, 평일엔 사람들도

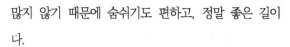

많지 않기 때문에 숨쉬기도 편하고, 정말 좋은 길이다.

 물론 이 길 아래로는 동해남부선 옛 철길과 나란히 가는 역시 데크로 낸 길이 있다.

 동해남부선 옛 철길엔 미포-청사포-구덕포-송정으로 가는 관광 열차가 다니고, 그 위 10미터 높이

에 공중 레일로 오가는 티코보다 약간 적은, 4명이 탈 수 있는 한 칸짜리 앙증맞은 네모난 전차가 다닌다. 스카이 캐슬이라는 전기 동력을 이용한 친환경 관광차이다.

관광열차나 스카이 캐슬에 타면 바다풍경을 힘 안 들이고 조망할 수 있다.

그렇지만 미포에서 청사포까지 이어진 데크로 된 길을 걸으면, 비록 햇볕에 노출은 되지만, 가끔 바닷가로 내려가는 길이 있어 바닷가의 파도며, 바위, 몽돌 등을 돌아볼 수 있고, 내려갔다 올라갔다 하면 역시 운동이 되어 좋다.

저쪽으로는 해운대 백사장과 바닷가 쪽으로 세워진 고층 건물들이 보이고, 바로 코앞으로는 하얀 파도와 거대한 돌로 된 자갈들과 절벽이라고 부르기에는 좀 거시기하지만 4~5미터 정도 되는 바위돌들이 산기슭에 붙어 있고 눈을 들어 저 멀리 수평선을 바라보면 오륙도가 한 눈에 들어온다.

부산 해운대에 오래 살았지만, 해운대 백사장이 아름답다는 것만 알았지, 미포에서 청사포 가는 바닷가에 이런 경치가 있었음은 전혀 몰랐다.

사람들이 조금 많이 산책하는 길이고 햇볕이 따갑기는 하지만, 한 번 걸어가 볼 만한 길이긴 하다.

미포에서 달맞이 언덕으로 들어서서 조금 가면, 문텐로드가 시작되기 전 약 100미터 정도 되는 무료 주차장이 있다.

이곳에 차를 세워놓고 데크로 난 길을 따라 바

다를 보며 걷다가 정력이 넘치거나 운동량이 부족하다고 생각하면 내처 송정까지, 걷다가 숲길을 통해 되돌아오면 된다.

그러나 노약자의 경우에는 이 길을 따라 청사포까지 갔다가 되돌아나오면서 문텐로드라 부르는 숲길로 들어서서 땀을 식히며 천천히 오면 된다.

정말 좋은 길이다.

(2021.4.13)

요약하면 다음과 같다.

젊은이 길: 달맞이 언덕 입구 주차장 - 미포 -[데크 길]- 청사포 -[숲길]- 구덕포 -[데크 길]- 송정 -[데크길]- 구덕포 - 청사포 전망대 - 청사포 -[숲길: 문텐로드]- 달맞이 언덕 입구 .

노약자 길: ① 달맞이 언덕 입구 주차장 - 미포 -[데크 길]- 청사포 -[숲길: 문텐로드]- 달맞이 언덕 입구 주차장 ② 청사포 주차장 -[숲길]- 구덕포 -[데크길]- 청사포 다릿돌 전망대 - 청사포 주차장.

조 노랑 암캐

내가 참 좋아하는 시다.

읽을수록 눈앞에 노랑 암캐의 짖는 모습이 떠오른다. 해학과 재치가
넘친다.

바둑이 검동이 청삽사리 중에서 조 노랑 암캐ㄺ치 얄
밉고 잣믜오랴.

믜온님 오게 되면 쇼리를 회회치며 반겨늬닫고,

고운님 오게 되면 두발을 벗씌듸고 코쓸을 찡그리며
무르락 나오락 캉캉 즛는 요 노랑 암캐.

이튿날 문 밧긔 긔 수읍시 웨는 장사 가거드란 찬찬
동여 늬야 주리라.

삶의 흔적이 내는 소리

84

현대어로 번역하면 맛이 떨어집니다만, 이해를 돕기 위해 번역하면 다음과 같다.

바둑이 검둥이 청삽사리 중에서 저 노랑 암캐같이 얄밉고 잣미우랴!

미운 님 오게 되면 꼬리를 회회치며 반겨 내닫고,

고운님 오게 되면 두 발을 벗디디고 콧살을 찡그리며 물러갔다 나왔다하면서 캉캉 짖는 요 노랑 암캐.

이튿날 문 밖에서 개 삽니다 외치는 개장사가 가며는 꽁꽁 묶어 내어 주리라.

〈감상〉

1. 이 시에서 믜온님과 고운님은 누구일까요?

믜온님은 노랑 암캐가 쇠리를 회회치며 반겨늬닫는 것을 볼 때, 실증난 남편임을 알 수 있지요.

그렇다면, 고운님은?

정부(情夫)겠지요~.

2. '두발을 벗씌듸고 코쑬을 찡그리며 무르락 나오락 캉캉 줏늘' 노랑 암캐를 상상해 보세요.

3. '이튿날 문 밧긔 긔 ᄉ옵시 웨는 장사 가거드란 찬찬 동여 늬야 주리라'라고 작정하는 쓴 이의 해학을 감상하세요.

(1999.3.30)

삶과 자연의 노래

느끼고 노래하며

멕시코: 마야의 전설

페루: 잉카의 전설

러시아 I: 바이칼의 신목들

러시아 II: 눈앞의 풍경들

마다가스카르 I: 순박한 삶

마다가스카르 II: 시간의 수레바퀴

아시아: 가는 곳 길을진대

터키: 꿈속에 뵈는 건가

중동/이집트: 바람이 모래와 함께

유럽: 노을 속 그리움

북미: 구름위의 도시

멕시코: 마야의 전설

정복자의 오만일 뿐

무더위 밀림 속에

동북아 신화들이

품고 있는 역사들

하늘을 나는 사람들

너럭바위 절벽 위에

인디안 후예들이

정복자의 오만일 뿐

기자의 피라밋이 제일 큰 줄 알았더니
촐룰라 피라밋이 세계 제일 크다 하네
아아아, 크기만 하면 그 이름값 하누나

제일 크면 어떠하고 둘째라면 어떠하리
짓는 데 드는 피땀 보이지 아니하니
사람들 모르는 대로 키 재기만 하더라

옛날의 그 영화는 어디로 사라졌나
인디언 신전 위엔 성당만 보이누나
요것은 성당이 아니고 정복자의 오만일 뿐

(멕시코 촐룰라에서 2001.7.2)

느끼고 노래하며

무더위 밀림 속에

무더위 밀림 속에 옛 도시 웬 말인가

신전도 주거지도 그대로 남았는데

사람은 어디 가고 시간만 흘러가나

(멕시코 타힌 유적지에서 2001.7.15)

멕시코: 마야의 전설

동북아 신화들이

그 누가 이런 곳에 요런 걸 지었는가
조각된 기둥들과 벽면의 장식들이
당시의 생활상태를 넌즈시 보여 주네

인디언들이 만든 수많은 피라밋들
바윗돌에 새겨 놓은 그림들 보노라니
동북아 신화들이 여기에 숨 쉬누나

(멕시코 몬테 알반 유적지에서 2001.7.22)

느끼고 노래하며

품고 있는 역사들

이집트 피라밋은 흙먼지 가득한데

마야의 피라밋은 무더위 견뎌내네

열악한 환경 속에서 품고 있는 역사들

(멕시코 타힌 유적지에서 2001.7.15)

멕시코: 마야의 전설

하늘을 나는 사람들

높디높은 장대 위에 다섯 사람 올라가서
한 사람 피리 불고 네 사람 몸을 던져
빙빙빙 돌아가면서 땅으로 내려 오네

발목에 밧줄 감고 거꾸로 뛰어내려
새가 된 네 사람은 태양신의 사자 되어
하늘을 날아다니며 풍년을 기리누나

이들의 모습 보니 바지저고리에 고깔모자
이리 봐도 저리 봐도 우리네 농악대라
어이해 우리 농부들 여기 와서 요런다냐

(멕시코 타힌 유적지에서 2001.7.15)

느끼고 노래하며

너럭바위 절벽 위에

깊은 산속 너럭바위 절벽 위에 샘이 솟네

바위를 녹여내어 샘물은 못이 되고

자연이 만든 수영장 사람들이 즐기네

바윗길 길을 따라 밑으로 내려가니

밑에서 올려보니

벼랑따라 흐르는 물은 코끼리 코 만드누나

(멕시코 히에르베 엘 아구아에서 2001.7.24)

멕시코: 마야의 전설

인디언 후예들이

인디언 후예들이 모여서 춤을 춘다.
발목에 방울 달고 머리엔 깃털 꽂고
역사의 엑스타시를 경험하는 것일까?

메스티소 피 속에도 인디언 피 흐르누나
조상들의 전통 문화 살리고자 애쓰나니
이들의 몸짓 속에서 되살아나는 과거들

(멕시코 멕시코 시티 조칼로 광장에서 2001.7.26)

느끼고 노래하며

페루: 잉카의 전설

영원을 담는 마추피추의 해시계여!

잉카 유적

가락의 전설들

흘러간 세월

만지며 기도하면

속아도 웃는 세상

인생길

나즈카

잉카인의 성생활(性生活)

영원을 담는 마추피추의 해시계여!

산 위에 세워진 도시, 마추피추!
그 속에서 아직도 그대는 흘러가는 시간을 재는구나.
그대를 만든 사람은 전설 속으로 사라진지 오래거늘······

이 세상의 아름다움도, 추함도, 그 모든 욕심도
결국은 시간의 영겁 속에 묻혀
한 줄기 햇빛 속으로 사라져 버리는 것을

영원히 자리를 지키며,
뒤따라 오는 이들에게 묵묵히
그림자 드리우며 아무리 외쳐대도

느끼고 노래하며

그 누구 하나 빛 속의 진실에 귀 기울이는 이 없어도

오로지 나는 내 할 일을

할 뿐이로소이다.

(페루 마추피추 정상 해시계 앞에서 2001.8.3)

페루: 잉카의 전설

잉카 유적

태양꽃 발아래서 무늬를 뽐내지만

무너져 내린 담과 기둥은 무얼하나

아희야 탓하지 마라 세월의 무정함을

(페루 쿠즈코에서 뿌노 가는 길에서 2001.8.7)

느끼고 노래하며

가락의 전설들

안데스 깊은 산 속 가락의 전설들이
물고기 앞세워서 나그넬 부른다네
잊혀진 찬란한 역사 밝혀보면 어떨까

태양을 향한 마음 언제나 같을진대
세월은 어이하여 모든 걸 잊었는가
물고기 그 증거이니 거북이도 있을 터

어쩌다 이 산속에 가락국 세워 놓고
구지가 전설 따라 거북을 새겼는데
세월은 거북이 보고 두꺼비라 우기네

(페루 부가라 박물관에서 2001.8.7)

페루: 잉카의 전설

흘러간 세월

무엇을 말하는가 흘러간 저 세월은
옥수수 막걸리는 아직도 남았는데
잔 들어 바치고 싶은 태양신은 없구나

세월을 곱게 빚어 항아리 담았는데
잉카는 어디 가고 십자가 남았는가
남겨진 주춧돌만이 그 세월을 못 잊네

(페루 부가라 무너진 신전 앞에서 2001.8.7)

느끼고 노래하며

만지며 기도하면

왜 저리 생겼는가 보기는 흉측해도

만지며 기도하면 아들 딸 낳는다네

아낙아 부끄러마라 믿음대로 되리라"

(페루 뿌노의 추쿠이토 사원에서 2001.8.8)

페루: 잉카의 전설

속아도 웃는 세상

속이고 속이는데 밉지가 아니하네
본성이 착한 줄을 저절로 알았으니
그렇게 속아주면서 그 일상을 즐기세"

합리가 진리일까 정직이 미덕일까
속아도 웃는 세상 무엇이 진짜일까
두어라 기존 가치에 얽매이지 말거라"

(페루 뿌노에서 아레키파 가는 갈 2001.8.10)

느끼고 노래하며

인생길

덧없이 달려가는 인생의 흔적들을

설산은 굽어보고 별 말이 없는데도

먼지만 풀풀거리며 그 흔적을 덮누나

(페루 뿌노에서 아레키파 가는 갈 2001.8.10)

페루: 잉카의 전설

나즈카

밑에선 눈 씻어도 보이지 않는 것이
비행기 타고 보니 여기저기 눈에 띄네
그 옛날 어느 누구가 요런 걸 새겨났나

메마른 사막 위에 새겨놓은 큰 그림들
모양은 분명하나 그 뜻은 모르겠네
어이해 이런 곳에다 요로코롬 그린 걸까

(페루 나즈카 평원에서 2001.8.12)

잉카인의 성생활(性生活)

감추면 감출수록 호기심 끌어내어
눈길이 머무는 곳 역사가 살아 있네
저들의 숨결 속에서 들어나는 진실들

어머나 흉측해라 고개를 돌리지만
저런 게 없었다면 네가 어이 존재할까?
처녀야 웃기지 마라 정직하게 살거라

(페루 리마 오로박물관에서 2001.8.14)

페루: 잉카의 전설

러시아 Ⅰ: 바이칼의 신목들

여행

다리

바실리 성당

아담한 성당 모습

바이칼 낙조

신목

언제나 그리던 님

벼랑 위 하늘 문

여행

본 것이 다가 아냐 또 다른 세상 있네

우리가 알기에는 너무나 복잡하네

우물 안 개구리 신세 언제나 벗어날꼬

(러시아 모스크바-야로슬라브 역에서 2014.12.6)

느끼고 노래하며

다리

인연을 이어주며 세월을 쌓아가네

서로가 하나 되어 마음을 합친다면

그 사랑 저 다리처럼 아름답고 고우리

(러시아 블라디보스톡에서) 2014,7.1)

러시아 I: 바이칼의 신목들

바실리 성당

흰 눈이 내리던 날 그대를 만났던 날

오늘도 잊지 못해 그대를 보고 있네

누구도 흉내 못내는 아름다운 밤이여!

(러시아 모스크바 붉은 광장에서 2014.12.12)

아담한 성당 모습

아담한 성당 모습 이골 왕자 기념하네

여기서 중생들이 마음을 다스리면

그 사랑 영원하리라 저 성당의 종처럼

(러시아 블라디보스톡 이골 왕자 기념 사원에서 2014.7.1)

러시아 I: 바이칼의 신목들

바이칼 낙조

먼 옛날 전설들이 우리를 일깨우며

붉은 빛 뿜어내며 내일을 기약하네

우리의 한아버지들 한시인들 잊을까

(러시아 바이칼 알혼 섬에서 2014.7.7)

느끼고 노래하며

신목

그 무슨 원이 많아 그렇게 매달았나

하늘가 향한 손짓 오늘도 끊임없네

신이여 굽어 살피어 저들 원을 드소서

(러시아 바이칼 알혼 섬에서 2014.7.7)

러시아 I: 바이칼의 신목들

언제나 그리던 님

삭막한 모래밭에 찬바람 몰아쳐도

오로지 그대 모습 눈가에 아른대네

언제나 그리던 님을 꿈에서나 볼까나"

(러시아 바이칼 옛 정치범 수용소에서 2014.7.8)

느끼고 노래하며

벼랑 위 하늘 문

벼랑 위 하늘 문은 그 언제 열렸는가

천국을 보기 위해 그곳을 오르는가

오르고 내려다보니 이 세상이 보이네

(러시아 바이칼 알혼섬에서 2014.7.8)

러시아 I: 바이칼의 신목들

느끼고 노래하며

러시아 II: 눈앞의 풍경들

울리면 잊혀지련가

유명 인사들의 무덤

소원을 빌고 빌며

호루스의 눈

동화 속 궁전

지하철 역에서

사진기 붙든 손이야

눈물

울리면 잊혀지련가

속박을 알림일까 자유의 전령일까

간직한 사연들을 가슴에 묻어두고

울리면 잊혀지련가 흘러가는 세월이

(러시아 쌍 뻬쩨르부르그 스몰느니 수도원에서 2014.7.24)

느끼고 노래하며

유명 인사들의 무덤

살면서 폼 잡으니 죽어서 대접 받네

큰 무덤 비석 속에 사진도 새겨 넣네

그런들 어찌 하리오 이 세상엔 없는 걸

(쌍 뻬쩨르부르그 알렉산더 네프스키 수도원에서 2014.7.24)

소원을 빌고 빌며

금촛대 은촛대에 초 꽂고 불을 붙여

소원을 빌고 빌며 정성을 다 한다네

그 마음 원하는 대로 이뤄지길 바라네

(러시아 쌍 빼쩨르부르그 알렉산더 네프스키 수도원에서 2014.7.24)

느끼고 노래하며

호루스의 눈

이눔들 잘 살아라 높이서 굽어보니

벼라별 희한한 눔 많기도 많더구나

언제나 내가 있으니 조심조심 하거라

(러시아 로스토프 오디기뜨리 성당에서 2014.12.6)

러시아 II: 눈앞의 풍경들

동화 속 궁전

표토르 놀던 곳에 이제와 다시 보니
동화 속 궁전 안은 옛 생활 그대로네
영웅은 어디로 가고 초상화만 남았나

(러시아 모스크바 알렉세이 미하일로비치 궁전에서 2014.11.22)

느끼고 노래하며

지하철 역에서

찬바람 피하고자 잔머리 굴렸으나

맘대로 안 되는 게 이 세상 이치런가

그대로 받아들이며 찬 세월을 즐기네

(러시아 모스크바 아르바뜨 거리에서 2014.11.30)

러시아 II: 눈앞의 풍경들

사진기 붙든 손이야

칼바람 쌩쌩 부니 거리는 서러운데

눈앞의 야경들은 사진길 손짓하네

사진기 붙든 손이야 시렵거나 말거나

(러시아 모스크바 시몬 성당에서 2014.11.30)

느끼고 노래하며

눈물

눈에 눈이 들어가니 눈물이냐 눈~물이냐

눈물이면 어떠하고 눈~물이면 어떠하리

눈 들어 눈을 맞으니 이 얼마나 좋은가

(러시아 모스크바에서 2014.12.11)

러시아 II: 눈앞의 풍경들

느끼고 노래하며

마다가스카르 I: 순박한 삶

아이들

호기심

놀이

동심

요것이 행복이란다

집으로 가는 길

행복한 미소

평화

장에 가는 길

빛 바랜 세월 속에서

아이들

지나는 나그네의 무엇이 궁금한지
맨발로 늘어서서 쳐다보며 웃고 있네
순박한 미소 띄우는 아름다운 천사들

　　　　　　(마다가스카르 이살루 국립공원 가는 길에서 2014.9.22)

느끼고 노래하며

호기심

불난 집 구경하러 너도 가고 나도 간다
아이도 빠질세라 서둘러 가다보니
바지는 흘러내려도 그 무엇이 대순가

불난 집 불 구경에 나라고 빠질소냐
서둘러 닫다보니 바지가 흘러내려
아이야 불구경보다 네 엉덩이 볼 만하다

(마다가스카르 이살루 국립공원 가는 길에서 2014.9.22)

마다가스카르 I: 순박한 삶

놀이

둘이서 마주 앉아 딱지를 치는구나

한 녀석 빼려보며 불만을 표시하니

딴 녀석 딴청부리며 못들은 체 하누나

(마다가스카르 안치라베에서 2014.10.3)

느끼고 노래하며

동심

누이가 미소 띄며 나그네 바라볼 제

동생은 고개들어 슬며시 품쳐보네

아이야 부끄러마라 너나내나 같단다.

(마다가스카르 이파티에서 2014.9.20)

마다가스카르 I: 순박한 삶

요것이 행복이란다

한 손에 참치 들고 집으로 향하는데
흐뭇한 이 마음을 어디에 견줄소냐
요것이 행복이란다 더도 말고 덜도 말고

(마다가스카르 무른다바 바닷가에서 2014.9.27)

느끼고 노래하며

집으로 가는 길

어깨에 짐을 메고 집으로 가는 길은
뙤약볕 내려쬐는 멀고도 머나먼 길
그러나 마음만은 가볍고도 뿌듯하네

(마다가스카으 벨레치르비히나에서 2014.10.1)

마다가스카르 I: 순박한 삶

행복한 미소

거리에 나 앉아서 닭고기 파는 여인

웃음 속 행복한 마음 그 누구가 부러울까

만족이 가져다 주네 아름다운 인생을

(마다가스카르 이살루 국립공원 가는 길에서 2014.9.22)

느끼고 노래하며

평화

가족이 그늘 밑에 옹기종기 모여 앉아

사진기 들이대는 나그네 쳐다 보네

이쁘게 보이는 마음 아름다운 얼굴들

(마다가스카르 생트 오거스틴에서 2014.9.21)

마다가스카르 I: 순박한 삶

장에 가는 길

머리에 동이 이고 장으로 가는 길은

앞서거니 뒤서거니 즐겁고 즐거운 길

웃으며 재잘대면서 발걸음도 가볍다

(마다가스카르 밸리치르비히나에서 2014.9.22)

느끼고 노래하며

빛 바랜 세월 속에

빛 바랜 세월 속에 과일들 늘어놓고

멈춰진 정적 속에 내일을 꿈 꾸누나

하느님 저들에게도 꿈 이루는 기적을

(마다가스카르 안타나나리보에서 2014.9.19)

마다가스카르 I: 순박한 삶

마다가스카르 II: 시간의 수레바퀴

장례식 풍경

도야지 뛰는 모습

환한 미소

멈춘 시계

시간의 수레바퀴

바오밥 일출

바오밥 일몰

돼지

바위산

세월의 씨앗 터져

장례식 풍경

춤추고 노래하니 영혼도 기뻐하리

한 많은 이 세상을 조금도 미련 없이

등지고 떠나는 님은 좋은 세상 가리라

무엇이 그리 기뻐 춤추고 노래하나

주검은 말이 없이 흐뭇이 지켜 보네

저승이 이승이련가 축복받은 사람들

(마다가스카르 생뜨 오거스틴에서 2014.9.21)

느끼고 노래하며

도야지 뛰는 모습

시간은 정적 속에 제 갈 길 멈췄는데
도야지 뛰는 모습 강아지 따로 없네
저승이 이승이런가 즐겨하며 춤추네
(마다가스카르 생뜨 오거스틴에서 2014.9.21)

환한 미소

바람이 살랑살랑 야자 잎 희롱하네

철없는 새끼 돼지 지 세상 만났구나

그늘의 여인네들은 환한 미소 짓는다"

(마다가스카르 생뜨 오거스틴에서 2014.9.21)

느끼고 노래하며

멈춘 시계

나는야 가는 세월 멈추고 싶었단다

그린 님 오지 않아 기다리다 지쳤으나

약속은 잊지 않으리 열여덟시 오십분

(마다가스카르 안타나나리보에서 2014.10.4)

마다가스카르 II: 시간의 수레바퀴

시간의 수레바퀴

수천 년 역사를 간직한 채 묵묵히 서 있는 바오밥이여!
희망의 태양이 솟아오를 적마다
지나온 과거를 묵묵히 삭혀 버린다.
내일을 위한 다짐만 반복하면서
시간의 수레바퀴는 그렇게 굴러가는 것

(마다가스카르 무룬다바에서 2014.9.29)

느끼고 노래하며

바오밥 일출

햇님이 희망 품고 세상을 밝혀주니

과거는 뒤로 하고 오늘만 생각한다

따스한 세상 맞으며 우리 모두 즐기리

(마다가스카르 무른다바에서 2014.9.29)

마다가스카르 II: 시간의 수레바퀴

바오밥 일몰

몇 천 년 긴 긴 세월 온 몸에 품어 안고
오늘도 저 너머로 내일을 꿈꾸누나
시간은 아무리 흘러도 내 마음은 영원히...

바오밥 어둠 속에 아직도 꿋꿋한데
해님은 날 버리고 어디로 가시는고
지는 해 잡지 못해도 내일 다시 맞으리

(마다가스카르 무른다바에서 2014.10.1)

느끼고 노래하며

돼지

세상을 모른다고 날 보고 웃지 마라

진흙에 뒹굴어도 지금이 제일이다.

먹힐 때 먹히더라도 즐기면서 살란다.

(마다가스카르 칭기에서 2014.9.29)

바위산

나아갈 바위산은 칼처럼 솟았는데
저 밑에 낭떠러지 송곳처럼 아득하다
그래도 건너야 하는 피안의 세계여

(마다가스카르 칭기에서 2014.9.30)

느끼고 노래하며

세월의 씨앗 터져

디딜 틈 전혀 없는 칼바윈 메마른데
이런 곳 터를 잡아 세월의 씨앗 터져
새 생명 움터오면서 새 하늘을 맞는다.

몬산다 몬살겠다, 아이고 나 죽겠네
요런 말 사치란 걸 그대는 아시는가
고로콤 지꺼리면서 즐기면서 살아라

(마다가스카르 칭기에서 2014.9.30)

마다가스카르 II: 시간의 수레바퀴

아시아: 가는 곳 같을진대

안개 속의 계림

황산에 안개 끼어

솔

솔, 바람, 구름, 바위 그리고 안개

금붕어 튀어나온 눈

삶

동굴 속 부처님들

부처님 흉내 내며

대장경

뱀

가는 곳 같을 진대

안개 속의 계림

뿌옇게 떠오르는 겹겹의 산봉우리

물가에 내려 앉아 누구를 기다리나

지나는 나그네마저 함께 있고 싶어라

(중국 계림 세외도원에서 2013.1.16)

황산에 안개 끼어

황산에 안개 끼어 더더욱 절경일세
곳곳에 튀어나온 기암과 괴석들이
그 모습 보여주다가 슬며시 사라지네

(중국 황산에서 2017.8.28)

아시아: 가는 곳 같을진대

솔

뾰족한 바위 위에 뿌리박은 소나무와

벼랑 옆 뚫고 나와 쭉 뻗어낸 소나무는

구름과 안개 속에서 기암괴석 벗하네

(중국 황산에서 2017.8.28)

느끼고 노래하며

솔, 바람, 구름, 바위, 그리고 안개

황산의 바위들은 어찌하여 그렇게 뾰족뾰족 솟아 있으며, 그 모진 비바람 속에서 그 위의 소나무는 왜 그리 푸르른고? 갑자기 일어난 시샘 많은 안개는, 이들을 감싸 안고, 장막을 치는구나.

소나무 가지들은 꿈틀꿈틀 뻗어 있고, 녹색의 솔잎에는 기품이 서려 있는데, 그 사이 사이로 뽀오얀 속살을 내어비치는 연분홍 색시 같은 기암괴석들이 자태를 뽐내고 있구나.

솔과 바람, 구름과 바위, 그리고 안개, 다함께 어울리며 한 폭의 경화를 연출하는데, 나그넨 넋 놓고 이를 바라보누나.

(중국 황산에서 2017.8.28)

아시아: 가는 곳 같을진대

금붕어 튀어나온 눈

서시(西施)가 서호에서 발가벗고 목욕할 제

금붕어 이를 보고 두 눈 튀어 나왔다네

허풍도 이 정도라면 가히 메딜 감이네

(중국 항주 서호에서 2017.8.31)

삶

뻐얼건 흙먼지 세상을 물들이네

황토흙 이파리 밑 백화점 열어 놨네

손님은 안 보이지만 언젠가는 오겠지

(캄보디아 앵콜와트 가는 길에서 2005.1.16)

아시아: 가는 곳 같을진대

동굴 속 부처님들

절벽의 동굴 속에 부처님 들어앉아
강물을 마주 보며 참선을 하다 보니
흐르는 강물 통하여 깨달음을 얻누나

동굴 속 부처님들 깨달음 얻기 위해
먹지도 아니하고 자지도 아니하며
강물의 흐름 속에서 세월을 잊는구나

(미얀마 이리와디 강 절벽에서 2017.11.20)

느끼고 노래하며

부처님 흉내 내며

부처님 가운데에 자리 잡고 앉으면서

부처님 흉내 내며 명상에 잠겨 보나

화두는 어디로 가고 잡생각만 떠도나

(미얀마 쉐다곤 파고다에서 2017.11.24)

아시아: 가는 곳 같을진대

대장경

그 누가 이런 곳에 요런 책 놔 두었나

깨우침 얻으려는 무지한 중생들아

저 속에 길이 있다니 다시 한 번 보게나

(대만 일월담 현광사에서 현장사 가는 길에 2018.4.30)

느끼고 노래하며

뱀

네 어찌 뱀이라는 미물로 태어났냐

전생에 무슨 죄를 지었는지 모른다만

그 고운 자태를 볼 때 사내깨나 홀렸겠다

(대만 일월담 현광사에서 현장사 가는 길에 2018.4.30)

아시아: 가는 곳 같을진대

가는 곳 같을진대

그렇게 돌아가나 이렇게 돌아가나
가는 건 한 가지고 가는 곳 같을진대
어이해 세상 사람들 그리 요란 떠는가

사람이 하는 일이 어리고 또 어리다.
태어나 돌아가니 언제나 있는 일을
요란도 법석이구나 못 말리는 중생들

(태국 방콕 왕실 화장터에서 2017.12.4)

느끼고 노래하며

터키: 꿈속에 뵈는 건가

목련

이별

룸멜리 요새

목화성

꿈속에 뵈는 건가

나무에 걸린 항아리

계곡 풍경

피안를 되새기면서

셀리메 수도원

이별

목련

이른 봄 찬 바람에 화알짝 피었다가
찬란히 지는 아픔 열매로 맺었나니
저렇게 살수만 있음 그 무언들 부러울까

(터키 이스탄불 돌마바흐체 궁전에서 2007.3.21)

느끼고 노래하며

이별

미련이 남아 있어 가신 님 슬퍼하나
설레어 떠난 님은 잊은 채 말이 없네
허전함 가슴에 품고 잘 되기를 바라네

그리움 품에 안고 님 생각 암만 혀도
떠난 님 무정하게 새 인연 쌓는다네
두어라 얽히고설킨 인생이라 카더라

(터키 이스탄불 바흐체히르 대학 기숙사에서 2007.6.24)

터키: 꿈속에 뵈는 건가

룸멜리 요새

서양과 동양으로 이어진 저 물길을
오늘도 굽어보며 당당히 서 있구나
속살엔 평화를 담고 옛터만을 남긴 채

(터키 이스탄불 룸멜리 요새에서 보스포러스를 굽어보며 2007.7.10)

느끼고 노래하며

목화성

목화 송이 뭉쳐진 파묵칼레 성벽 아래

웃음꽃 활짝 펼친 행복이 자리하네

아무렴 그 웃음같이 영원하리 우리 사랑

(터키 파묵칼레에서 2007.4.20)

터키: 꿈속에 뵈는 건가

꿈속에 뵈는 건가

꿈속에 뵈는 건가 실제로 보았는가
갑자기 우뚝 솟은 설산이 웬 말인가
전생의 빈터에 세운 망부석은 아닐까

찬바람 세월 속에 누구를 기다리나
그리움 굳게 쌓여 머리가 세었구나
억만겁 윤회 속에서 잘난 인연 찾으리

(터키 괴뢰메 가는 길에서 본 하산닭을 보며 2007.4.27)

느끼고 노래하며

나무에 걸린 항아리

나무에 걸린 항아리 그 누굴 기다리나

세월의 흐름 속에 집들이 들어 있네

삶이란 이런 것이지 별다른 게 있는가

(터키 괴뢰메 비둘기 계곡에서 2007.4.29)

터키: 꿈속에 뵈는 건가

계곡 풍경

세월이 만든 산들 여기저기 솟았는데
그 속에 거닐고픈 나그네 마음이여
어쩌다 이런 기경이 펼쳐지고 있는가

(터키 괴뢰메 비둘기 계곡에서 2007.4.29)

느끼고 노래하며

피안을 되새기면서

어두운 동굴 속은 힘들고 답답한데
저 밖의 밝은 세상 수도승 유혹하니
피안을 되새기면서 유혹을 뿌리치네

(터키 으흘랄라 계곡 셀리메 수도원에서 2007.4.30)

터키: 꿈속에 뵈는 건가

중동/이집트: 바람이 모래와 함께

기다림의 여유

바람이 모래와 함께

여명속의 낙타

사막과 낙타

나일강 바람 따라

평화를 염원하며

기다림의 여유

바위산 뚫어 만든 거대한 신전 앞에

주인은 안 보이고 낙타만 한가하네

저 놈은 오늘도 무얼 생각하고 있는가?

(요르단 페트라 알 크하츠네 신전에서 2007.5.6)

느끼고 노래하며

바람이 모래와 함께

바람이 모래와 함께 지난 밤 보냈는데

격렬한 정사치곤 그 흔적 곱디 곱네

물결진 그 아름다움 차마 밟지 못할레라

(요르단 와디 럼에서 2007.5.7)

중동/이집트: 바람이 모래와 함께

여명 속의 낙타

와디럼 붉은 사막 새벽이 밝아오면
모래톱 비탈에서 우리는 한데 모여
따스한 마음 나누며 새 세상을 꿈꾼다

(요르단 와디럼에서 새벽 낙타를 보며 2007.5.7)

느끼고 노래하며

사막과 낙타

바위산 모래 바다 섬처럼 보이누나

주인은 경건한데 낙타는 무심하다

오늘은 어디로 가나 소박한 꿈 찾으러

(요르단 와디럼에서 2007.5.7)

중동/이집트: 바람이 모래와 함께

나일강 바람 따라

나일강 바람 따라 돛단배 평화롭고

황량한 사막에도 초록이 우거지니

세월은 사정없어도 사공은 여유롭네

(이집트 아스완에서 페루카를 타고 2007.5.11)

느끼고 노래하며

평화를 염원하여

평화를 염원하여 쌓아 놓은 토성이여
그 숱한 인고 속에 꿋꿋이 견뎌내니
오천 년 세월 흐름에 평화로움 되찾누나
　　　　(시리아 에블라 토성 유적 델 마르티크에서 2007.5.3)

중동/이집트: 바람이 모래와 함께

유럽: 노을 속 그리움

절벽

빙하

구름은 갈 곳 몰라

한 폭의 동양화

노을 속 그리움

잔잔한 피요르드

산과 바다 그리고 배

달스니바 정상에서

일몰

가을

알프스

절벽

밑에서 올려보면 아무 것도 아니던데

위에서 내려 보니 아찔아찔 하더라

보는 게 이와 같으니 여러모로 보아야

(노르웨이 리제 피요르드 프라이케스텔론에서 2004.8.10)

느끼고 노래하며

빙하

서리고 서린 한이 쌓이고 또 쌓여서

뭉치고 다져져서 가슴에 담았는데

그 무게 견디다 못해 눈물 되어 흐르네

(노르웨이 브릭스달 빙하에서 2004.8.12)

유럽: 노을 속 그리움

구름은 갈 곳 몰라

구름은 갈 곳 몰라 산허리 둘렀는데
주인은 어디 있고 빈 배만 떠 있는가
그 무엇 바쁠 것 있나 쉬엄쉬엄 가리라

(노르웨이 코브바트네트 호수에서 2006.9.12)

느끼고 노래하며

한 폭의 동양화

산길은 엉망이고 갈 길은 멀었는데
호숫가 외로워도 안개를 벗한다네
좋구나, 그냥 그대로 그림 속에 살리라

안개 속 호숫가에 찾아온 붉은 마음
고웁게 단장하고 사랑을 고백하네
그 행복 영원하리라 보는 이는 없어도

(노르웨이 모이라나에서 스타인키에르 가는 길에서 2006.9.13)

유럽: 노을 속 그리움

노을 속 그리움

노을 속 펼쳐지는 그리움 아득한데
말없는 축복 속에 나그네 쉬어 가네
어쩌면 이러한 풍경 잊을 수가 있을까

(노르웨이 후겔보리 캠핑장에서 2006.9.14)

느끼고 노래하며

잔잔한 피요르드

저 멀리 아스라이 산들은 솟았는데

잔잔한 피요르드 말없이 흘러가네

나그넨 사진기 들고 그 무엇을 찍는가

(노르웨이 링겐 피요르드에서 2006.9.9)

유럽: 노을 속 그리움

산과 바다 그리고 배

저 푸른 피요르드 물빛에 홀딱 반해

흰 눈을 머리에 인 산 아래 배 띄우네

세월이 어디로 가든 내 알 바가 아니라

(노르웨이 링겐 피요르드에서 2006.9.9)

느끼고 노래하며

달스니바 정상에서

가이랑게 피요르드 보랏빛 산봉우리

달스니바 정상에 당신과 나 있으니

우리는 우리를 잊고 세월 또한 잊는다

(노르웨이 달스니바에서 2004.8.13)

유럽: 노을 속 그리움

어울려 살아감을

어울려 살아감을 자연은 가르치나

인간의 헛된 욕심 슬픔만 불렀구나

언제나 깨달을 건가 저 하늘의 축복을

(노르웨이 에크네 나치 수용소 박물관에서 2006.9.14)

느끼고 노래하며

일몰

지는 해 힘을 다해 세상을 물들이네

보여준 그 마음은 단풍보다 더 붉어라

오늘도 나는 간다만 밝은 내일 있으리

(스웨덴 노쉬보리에서 2006.10.28)

유럽: 노을 속 그리움

가을

황금빛 물결 소리 다가와 속삭이네

고개를 숙이지만 자부심 넘쳐나네

애 할 일 다 하고 나니 버릴 것이 없어라

(스웬덴 노쉬보리에서 2006.8.5)

느끼고 노래하며

알프스

우뚝 선 봉우리에 눈을 이고 내려 보니
초원은 추르른데 집들은 옹기종기
따스한 오후 햇살에 평화로움 흐른다

(스위스 그린덴발트에서 2004.8.2)

유럽: 노을 속 그리움

북미: 구름 위의 도시

울음 소리

일몰

구름 위의 도시

비상(飛翔)

스카이론

에~

낙엽

남근석

세월을 측정하는 도구

울음 소리

그 무슨 죄 있다고 이렇게 죽었는가
아무리 위로해도 울음 소리 안 그치네
다시는 이러한 일이 일어나지 않아야

(미국 뉴욕 911 테러 위령탑에서 2016.7.11)

느끼고 노래하며

일몰

저어쪽 빌딩너머 갈 길을 재촉할 때
헤어짐 섭섭하여 호수는 말 없는데
해님은 속도 모른 채 보석처럼 빛나네

해님이 도시 너머 저 멀리 가버리니
호수는 잔잔하고 빌딩은 말이 없네
그래도 여명 속에서 어우러진 도시여

(미국 시카고 미시간 호수에서 2016.8.2)

북미: 구름 위의 도시

구름 위의 도시

구름 속 저 도시가 마법을 부린 걸까
우리가 사는 세상 그대로 보여 주네
그렇담 저 가운데로 들어갈 순 없을까

(미국 시카고 밀레니엄 파크에서 2016.8.1)

느끼고 노래하며

비상

힘차게 날아올라 힘차게 날아올라
오늘도 저 세상을 샅샅이 훑어 보자
혹시나 맛있는 것을 찾을 수가 있는지

(미국 조지아 주 리드빙검국립공원에서 2006.7.24)

북미: 구름 위의 도시

스카이론

깜깜한 어둠 속에 저 홀로 우뚝 솟아

두 눈을 내리깔고 아래를 내려 본다

모든 게 별거 아니고 나 혼자만 잘났다.

(캐나다 나이아가라에서 2016.8.9)

에~

두 눈을 흘겨 보며 웃음꽃 함빡 띄고

이리저리 달리면서 즐거움 만끽하네

이 세상 내 세상이라 가릴 것이 없어라

(미국 뉴욕 주 천 섬에서 2016.8.13)

북미: 구름 위의 도시

낙엽

나는야 나비되어

훨훨 날아서

님의 품에 안기고 싶어

바람아 불어다오

바람아 불어다오

나는야 나비되어

훨훨 날아서

님의 품에 안기고 싶어

(미국 자이언 국립공원 에메랄드 풀에서 2000.12.15)

느끼고 노래하며

남근석

하늘로 솟구치는 늠름한 기상이여!
이곳에 우뚝 서서 누구를 기다리나
그 앞에 여근곡 있으니 심심치는 않겠네

돌기둥 힘찬 기운 하늘 향해 뻗어내니
힘없는 남성들이 부러워 할 만하네
그 기를 받을 수 있어 가슴이 뿌듯하다

남근석 보는 여인 조금은 부끄러워
얼굴을 붉히면서 고개를 외면하네
하지만 가재미눈 띠고서 흘깃흘깃 보누나

북미: 구름 위의 도시

자식 바란 인디언들 여기와 기도한 후
돌아가 합방하여 떡두꺼비 낳았다네
기도빨 잘 먹힌다니 용하기도 하여라

기운찬 돌기둥과 둥그런 아치들이
수없이 모여 있으니 음양의 조화로다
이리도 신기한 풍경 자월* 없어 안타깝네

(미국 아치국립공원에서 2001.4.13)

* '자월'은 풍수지리학의 대가인 외우 최창조 선생(전 서울대 교수)의 호.

느끼고 노래하며

세월을 측정하는 도구

몇 년간 못 본 사이 승아*가 훌쩍 컸네

아이는 세월을 측정하는 도구란다

그 동안 내 늙은 것은 깨닫지를 못하고!

(미국 뉴욕 케네디 공항에서 2016.7.7)

* '승아'는 미국에 살고 있는 사랑하는 손녀 이름

북미: 구름 위의 도시

우리말과 우리글

우리말 우리글 I

우리말 우리글 II

우리말 우리글 I

"논다"와 "나누다"

"적당히"란 말을 적당히 썼으면 좋겠다.

"다른 것"은 "틀린 것"이 아니다.

숫자 읽기 유감

글자의 성격

한글과 음양 이론

우리말, 우리글을 중시하는 어문정책을!

"논다"와 "나누다"

요즈음 사람들은 흔히 '논다'와 '나누다'를 혼용해서 쓰곤 한다.

젊은 사람들만 그러한 게 아니라, 이른 바 나이 지긋한 지식인으로 불리는 사람들도 그러하다.

어쩌면 지식인들이 '논다'의 의미로 써야 될 경우에 '나누다'라는 말을 자주 씀으로써 이러한 경향을 부추긴 것은 아닌가 싶다.

원래 '논다'라는 말은 한자어로 분배(分配)의 의미이고, '나누다'라는 말은 분할(分割)을 의미한다.

따라서 엄격히 볼 때, "사랑을 나누어주어야 한다."라는 말이나 "음식을 나누어 먹다."라는 말은 틀린 말이다.

사랑은 '노나 주어야 하는 것'이고, 음식은 '노나 먹어야 하는 것'이다.

그럼에도 불구하고, '나누다'라는 말이 '논다'라는 말을 대치하면서

우리말과 우리글

'논다'의 의미 영역까지 침범한 것이다.

내가 볼 때, 이는 사회적 지도층으로 불리는 이른 바 지식인들의 낱말 잘못 씀에서 비롯된 것이다.

그러니 지식인들은 낱말 하나하나를 쓰더라도 정말 조심해야 할 의무가 있는 것이다.

그러나 아직도 방송에 나오는 지식인들 대부분이 우리 말 하나하나도 제대로 골라서 쓰지 못하는 경우가 많이 있음을 본다.

(2001.6.27)

"적당히"란 말을
적당히 썼으면 좋겠다.

우리 말 중에 '적당히'라는 말처럼 좋은 말이 없다.

'적당히'라는 말은 분수에 지나치지도, 모자라지도 않을 때 써야 하는 말이다.

목욕물의 온도가 '적당'하면 목욕하기 좋은 것이고, 운동을 '적당히' 하면 건강에 좋은 것이다.

그런데 어느 때부터인가 이 말이 '대충 대충'이라는 말과 동의어로 쓰이기 시작했다.

"적당히 해!"라는 말이 "그 상황에 딱 알맞게 하라."는 의미에서 변질되어 "대충 대충 아무렇게나 흠 안 잡힐 정도로 하라."는 의미를 띠게된 것이다.

세상을 그저 쉽게 쉽게 살아가려는 세태(easy-going)가 이 말에 반영되어 있는 것이다.

우리말과 우리글

우리 사회에서 그 좋은 말 '적당히'가 이와 같이 변질되어 감은 참으로 안타깝고 슬픈 일이다.

우리가 '적당히'라는 말의 참 뜻을 찾을 때 비로소 사회는 건강해지는 것이 아닐까?

말할 때마다, 들을 때마다, 낱말 하나하나에 신경을 써서 '적당히'란 말의 원 뜻을 찾아주는 우리말 바로잡기 운동이라도 벌여야겠다.

(2001.6.24)

'다른 것'은
'틀린 것'이 아니다.

비록 사회가 다양해지고 외래문화의 유입이 활발해진 이후, '다르다'는 것에 어느 정도 익숙해진 현금에도 상대방을 받아들이는 것만큼은 아직 익숙하지 못하다.

그래서 나와 의견이 조금만 다르면, 섭섭함을 느끼고, 결국은 등을 돌린다.

우리는 왜 '다른 것'을 받아들이지 못하는가? 왜 '다른 것'을 '틀린 것'으로 간주하는가?

우리나라 사람들은 '다르다'는 것과 '틀리다'라는 말을 알고 있음에도 불구하고, 혼동하여 사용하는 경향이 있다.

'다르다'는 것은 "성질이나 모양에 서로 차이가 있다."는 뜻으로서 영어의 different에 해당된다고 할 수 있고, '틀리다'는 말은 잘못되었다는 뜻으로서 영어의 wrong에 해당된다.

그런데도 "너와 나는 다르다."고 해야 할 것을 "너와 나는 틀리다." 라고 하는 경우도 있고, "네 의견은 (나와) 다르잖아."라고 해야 할 때, "네 의견은 (나와) 틀리잖아."라고 말하는 경우가 있는데, 이 경우에도 말하는 이나, 말 듣는 이나 모두 '틀리다'는 말을 '다르다'는 말로 알아 듣고 그냥 넘어간다.

만약 이들 낱말을 정확히 사용하는 사람 같으면 화를 낼 일이다.

누군가가 당신보고 '틀리다'고 이야기하면, 예컨대, "You are wrong!"이라고 하면 가만히 있을 사람이 어디 있겠는가!

그럼에도 이들 낱말들을 혼동하여 사용하는 데 익숙한 것은 '다른 것'을 '틀린 것'으로 간주하던 우리들의 사고방식을 반영한다.

안정된 사회에서 문화의 다양성에 접해보지 못하고--예컨, 단일 민족만 주장하는 것도 그렇다— 짜여진 일상에서 조금만 벗어나도 이 단시되던 사회에서는, 그리고 언제나 '옳은 것' 아니면 '그른 것'으로 구 분하던 흑백 논리에 익숙해 있던 사회에서는 '다른 것'을 '다른 것'으로 받아들이지 못하는 것이다.

이러한 사고방식은 나와 다른 생각이나 나와 다른 의견을 받아들이 지 못하는 생활 습관을 알게 모르게 조장하며, 우리들의 의식 구조 밑 바닥에 자리 잡고 있는 것이다.

이러한 사고방식은 우리와 다른 외래 문물을 접할 때 두 가지 극단 적인 행태로 표현된다.

예컨대, 조선조 말 개화기 때 보인 우리 국민들의 행태가 그러하다. 외래 문물에 적극적으로 저항하거나, 아니면 맹목적으로 추종하는 행태를 보여 주는 것이다.

대원군의 쇄국주의가 전자의 대표적인 사례이며, 과거 중국을 섬기던 사대주의가 친로파, 친일파 등의 새로운 사대주의로 대치되는 것은 후자의 대표적인 예이다

사대주의란 우리보다 우월한 문화라고 생각할 때 맹목적으로 그것을 숭상하고 따르는 것이다.

특히 '다른 것'에 대한 그러한 저항이 급속도로 힘을 잃게 되면, 이전에 추종하던 것을 순식간에 버리고 그 '다른 것'을 당연한 것으로 받아들이게 되는데, 이러한 현상은 매우 빨리 진행된다.

우리나라 사람들이 한복을 벗어버리고, 양복으로 전부 대치한 것은 --자주성을 그나마도 강조하는 북한의 경우도 마찬가지이다. 기모노를 입는 일본과 비교해 보라!-- 바로 새로운 형태의 사대주의와 다름이 없다.

평상시에 한복을 입고 다니면 이상한 사람으로 보는 사회의 눈이 그러하다.

어느덧 우리 고유의 옷인 한복 대신에 양복이 새로운 일상으로 자리 잡은 까닭이다.

또한 거기에는 아직도 흑백 논리식 사고가 '다른 것'을 용납하지 못하는 문화의 일면이 내재한다.

이러한 현상을 나쁘게 말한다면, 다양한 문화를 흡수하여 우리 것으로 만들기 위한 역량이 모자란 것이라 말할 수 있고, 그나마도 좋게 말한다면, 그만큼 우리 사회가 안정적인 사회였고, 획일화된 문화의 틀 속에서 익숙해 있던, 안정을 지향하기 위한 무의식적 행태가 아직도 남아

우리말과 우리글

있는 것이라고 말할 수 있다.

그러나 현대는 다양을 접하는 시대이다.

그럼으로써 '다른 것'을 그냥 있는 그대로 '다른 것'으로 인정하고 받아들이는 자세가 필요하고, 제발 그것을 '틀린 것'으로 단정짓는 자세에서 탈피해야 할 것으로 본다.

'다르다'는 말과 '틀리다'는 말을 구분해서 쓰는 생활 습관이야말로 다양의 시대에 살아가는 우리에게 가장 절실한 것 아닐까?

'다른 것'을 있는 그대로 '다른 것'으로 받아들이기 위해서는 우선 그것이 '틀린 것'이라는 시각을 벗어나야 하니까.

(2001.6.9)

숫자 읽기
유감

돈 버는 일에 무능해서 그런지, 수학 실력이 없어서 그런지, 숫자를 읽거나 쓸 때면, 늘 당황하게 된다.

읽을 때마다 늘 뒤에서부터 단, 십, 백, 천, 만, 십만, 백만, 천만, 억 …….으로 따져 보고 나서야 겨우 읽을 염두를 두는데, 그렇게 해도 틀리는 경우가 너무나 자주 있어서, 재삼재사 몇 번씩이나 다시 헤아려 본 뒤에야 간신히 읽어 낸다.

한편, 은행에 몇 천 몇 백 몇 십만 원을 입금시킬 때에는 우선 다른 종이에다 숫자를 쓴 다음, 동그라미를 대여섯 개 붙여 놓고, 이번에는 앞에서부터 단, 십, 백, 천, 만, 십만, 백만, 천만으로 따져 본 뒤에야, 뒤의 동그라미를 지워버리고, 다시 뒤에서부터 단, 십, 백, 천, 만, 십만, 백만, 천만으로 확인한다.

그리고는, 다시 뒤에서부터 세 자리--천 단위--씩 나누어 놓고 조심

우리말과 우리글

스레 쉼표를 찍고, 다시 한 번 더 손가락을 짚어 가며 확인한 후에야 새 종이에 정성스럽게 옮겨 적는다.

그러나 이런 복잡한 절차를 거친 후에도 틀리는 경우가 왕왕 있어서, 젊은 은행원 앞에서, 마치 큰 잘못도 없이 선생님 앞에 주눅이 든 초등학생처럼 절절 매는 경우가 가끔은 있다.

은행원이야 친절하게 "선생님, 여기 점을 잘못 찍었네요." 하면서 "몇 백 몇 십만 원 맞죠?" 하고 확인을 하고 고쳐주지만, 괜히 내 쪽에서 돈하고는 인연이 없는 것을 들켰다고 생각되는 그 기분이란………….

어찌됐든, 은행에 가거나 큰돈을 주고받고 영수증 써 주는 일이 일 년에 한두 번도 될 둥 말 둥 할 뿐 아니라, 은행에 간다 하더라도 천만 단위 이상은 별로 다루는 일이 없기에 그나마도 얼마나 다행인지 모른다.

만약 나 같은 사람이 너무 자주 간다면, 은행 일이 나 때문에 마비될지도 모른다.

그런데, 은행 일이 마비될 지도 모를 이런 일이 나한테만 일어나는 것이 아니라, 평소에는 끔찍이 사랑을 표시하면서도 심술이 나면 돈 못 벌어 온다고 가끔은 구박을 하기도 하는 마누라님에게도 예외는 아닌 모양이다.

뿐만 아니라 은행에서 입·출금하는 많은 사람들을 눈여겨보았을 때, 이러한 불편은 한국 사람이면 누구나 다 겪어야 한다는 엄청난 사실을 알게 되었다.

그래서 그 정확한 까닭을 천착하기 시작하였는데, 정작 알아낸 것은 내가 학교에서만 배운 영어를 실제로 써먹어 보고 미국 유학 생활을 마치고 돌아온 뒤였다.

오랫동안의 각고 끝에 알아낸 사실은 '숫자마다 찍어 대는 쉼표의 위치가 우리나라 어법(語法)에 맞지 않기 때문'이라는 사실이었다.

영어에서는 숫자를 표시하는 독립된 낱말로서 천(thousand), 백만 (million), 십억(billion), 조(trillion) 따위가 있어서 천 단위로 숫자를 읽게 되고, 천 단위마다 쉼표를 찍는 것이 그들의 어법에 맞는다.

곧, 그들에게는 만이라는 단위가 없어서 만을 십 천(ten thousand) 이라고 읽기 때문에, 숫자 표기 역시 '10,000'이라고 해야 쉽게 읽을 수 있다. 또한, 만이라는 숫자를 적을 때도 '십 천' 곧, '10,000'이라고 쓰는 것이 편하다.

그러나 우리의 숫자 말은 만, 억, 조, 경 따위로 되어 있어서, 만 단위로 쉼표를 찍는 것이 보다 편리하다.

보기를 들면, 오억 삼천 사백 이십팔만 육천 칠백 구십 일 원이면, '5,3428,6791원'으로 쓰고 읽어야 훨씬 쉽다.

이것을 영어식 어법에 따라, 534백만 286천 791원(five hundred thirty four million and two hundred eighty six thousand and seven hundred ninety one Won)으로 읽고, '534,286,791원'으로 적어서야, 아무리 존경하는 마누라님도 손가락을 동원해서 헤아리지 않으면 안 된다.

아마도 외국과의 교역을 위해서 인지는 모르나, 우리는 우리의 어법 대로 숫자를 표시하지 아니하고 영어식 숫자 표기를 따름으로써 대다수의 국민들이 숫자 생활에서 불편을 겪고 있다.

우리말과 우리글

달러를 벌기 위해 그러한 고생쯤 감수하여야 되는지 모르겠으나, 우리말에 맞지 아니하는 영어식 숫자 표기가 전혀 주체적이지 못하다.

이것이야말로 돈을 앞세운 외국 말의 침입에 두 손 바짝 들은 꼬락서니가 아니고 무엇이겠는가?

평상시엔 그렇게도 기세등등하던 우리 마누라님도 외세의 압력에는 꼼짝없이 굴복하고 마는 가련한 꼴이라니 차마 눈뜨고 볼 수 없는 정경이 아닌가?

우리 마누라를 위해서라도 주체성을 찾는 데 앞장서야겠다.

실제로 많은 국민들이 불편을 겪고 있는 숫자 표기를 국내에서나마 우리말 어법대로 표기함으로써, 특히 존경하는 우리 마누라님의 손가락 운동에 소비되는 에너지를 절약해 주는 것이 어떨는지?

(2001.5.19)

글자의
성격

　　각 나라마다 사용하는 글자가 다르고, 그 글자의 모양을 통해서 재미있는 사실들을 발견할 수 있다.

　　우선 영어의 알파벳은 스물여덟 개밖에 안 되지만 글자꼴이 우선 고르지 못하다.

　　그 크기와 위치만 보더라도 아래, 위, 옆으로 다 다르다.

　　그래서 그런지 영어를 쓰는 미국의 사회는 글자꼴만큼 다양하다.

　　개별 차를 그대로 인정하는, 아니, 불평등한 것들을 그대로 인정하는 사회를 반영하는 듯하다.

　　또한, 소문자와 대문자가 있어서 대문자로 문장이 시작된다.

　　문장의 꼴을 통해서 본다면, 지도자에 의하여 일반 백성들이, 그것도 다양한 여러 종류의 사람들이 끌려 다니는 것으로 볼 수 있다.

　　그러나 나(I)만큼은 언제나 대문자로 쓰는데, 이것은 사회의 지도자

우리말과 우리글

나 내가 동등한 위치에 있다는 것을 뜻하는 것 같다.

아무리 지도자라 하더라도 나보다 높거나 크지는 아니하다.

그러나 너(you)와 다른 사람들(he, she, they)은 다 나보다는 낮은 위치에 있고 작은 것이다. 곧, 나보다는 덜 중요한 것이다.

여기에서 '나' 중심의 사회를 엿볼 수 있는 것은 흥미롭지 아니한가?

한편, 한자를 보자.

글자 하나하나가 다 다르다.

글자의 수가 팔만 자도 넘는다니까 글자의 수가 많기도 하지만, 원래 그 크기가 크고, 작고, 그 꼴도 세모꼴, 마름모꼴, 네모꼴, 사다리꼴, 역사다리꼴 등 여러 가지 형태를 띤다.

이러한 점 역시 그들의 다양성을 엿보게 해 준다.

단지 서양의 알파벳처럼 위로 삐쭉 튀어나오거나, 밑으로 삐쭉 처지거나, 옆으로 많이 벌어진 것 따위가 없이 글자 하나하나가 어느 정도 균형이 잡혀 있는 것이 알파벳과는 다르다.

이런 점에서 볼 때, 한자는 균형 잡힌 다양성을 보여 준다.

그리고 한자는 여러 개의 글자가 결합되어 다시 하나의 글자를 이루기도 하기 때문에, 글자를 일정한 칸에다 집어넣어 그 크기를 제한함으로써 다른 글자와의 관계를 명백히 하려 한다.

따라서 한자는 하나의 일정한 칸 안에 넣어 지긴 하지만, 그 칸 안에 넣어 진 글자들 가운데 복잡한 글자는 꽉 차고, 단순한 글자는 성긴 모양을 하게 된다.

그래서 겉으로 보기에는, 알파벳보다 획일적인 것을 알 수 있다. 곧,

튀어나오는 것이 없다.

그리고 글자 하나하나마다 여러 가지 특성을 띤 다 다른 개체이면서도, 눈에 보이지 않는 똑같은 크기의 칸 속에 들어앉아 있는 것이 겉으로만 평등하게 인위적으로 만들어진 그러한 사회를 반영해 주는 듯하여 재미있다.

우리 한글은 알파벳이면서도 풀어쓰지 아니하고 뭉뚱그려 쓴다.

그 크기나 모양이 한글의 경우 거의 일정하다.

물론, 한글의 초성과 중성만으로 이루어진 글자와, 초, 중, 종성으로 이루어진 글자는 그 크기가 서로 다르다.

곧, 받침이 들어가는 글자와, 받침이 들어가지 아니하는 글자는 그 크기에 차이가 있다.

또한, 겹글자와 홑글자의 차이가 있기는 하다.

그러나 한자만큼 그 구성이 다양한 것은 아니다.

또한 알파벳처럼 들쭉날쭉 불균형적이지도 않다.

이를 보면, 한국 민족이 단일민족이며 비교적 평등한 사회 속에서 살 수 있다는 사실을 시사하는 듯하다.

곧, 한국의 사회는 빈부의 격차가 적으면서도 그 안에서 다양한 여러 삶이 있다는 것을 글자꼴에서 엿볼 수 있다.

한국의 사회가 불평등하게 된 것은 국한문 혼용에다가 영어의 알파벳까지 사용함으로써 말미암은 것은 아닌지 모르겠다는 생각도 든다.

한글을 전용함으로써 우리의 본꼴로 돌아가 비교적 평등한 한글의 글자꼴과 같은 사회를 이룩할 수 있다고 주장하면 그 것이 한낱 우스개에 그칠 것인가?

우리말과 우리글

한글과
음양 이론

한글의 구성(構成)은 세종대왕 말씀대로 범자필합이성음(凡字必合而成音)이다.

글자에도 음양(陰陽)이 있어 반드시 음양이 합쳐져야만 소리가 이루어진다.

닿소리는 양이요, 홀소리는 음인데, 그 어느 것도 따로 따로 존재할 수가 없다.

한글에서의 소리갈[음운학 音韻學]에 따르면 닿소리나 홀소리 혼자서는 소리 나지 않는다.

반드시 닿소리와 홀소리가 합쳐져야지만 두 개의 소리값, 곧, 닿소리와 홀소리의 소리값이 함께 나타나는 것이다.

한글의 글자는 그래서 부부(夫婦)가 가정을 이룸으로써 남녀(男女)모두 제 구실을 다 할 수 있는 것과 같다.

이때 홀소리는 몸체의 구실을 하기 때문에 홀소리가 결코 앞에 오지는 않는다.

반드시 닿소리를 앞에 내세움으로써 자신의 소리값을 나타낼 수 있는 것이다.

닿소리 역시 홀소리와 함께 있지 아니하면 제 구실을 할 수 없다.

반드시 홀소리 앞에 있거나, 홀소리 뒤에 있어야 그 소리값을 발휘(發揮)할 수 있다.

입천장소리되기[구개음화 口蓋音化] 현상은 닿소리 "ㄱ, ㄴ, ㄷ, ㅌ, ㅎ" 따위가 홀소리 "ㅣ" 앞에서 "ㅣ"의 영향(影響)을 받아, 입천장소리인 "ㅈ, ㄴ, ㅊ, ㅅ"따위로 바뀌는 현상이다.

이 현상은 남자가 여자의 영향을 받아 여자가 가지고 있는 성격, 곧, 잇소리의 성격을 닮아 소리값이 바뀌는 것이라 할 수 있다.

그러니, 닿소리 "ㄱ, ㄴ, ㄷ, ㅌ, ㅎ" 등은 홀소리 "ㅣ"에게 꼼짝 못하는 공처가(恐妻家)의 신세와 같다고 할 수 있다.

이와 반대(反對)되는 현상도 있다.

입술소리되기[순음화 脣音化] 현상은 입술소리인 닿소리 "ㅁ, ㅂ, ㅍ" 따위가 홀소리 "ㅡ"와 짝짓기를 하면 그 힘을 발휘하여, "ㅡ"의 성격을 "ㅜ"로 바꾸어 놓는 현상이다.

이것은 남자 "ㅁ, ㅂ, ㅍ"이 여자 "ㅡ"에게 군림(君臨)하여 자기의 성격에 맞추어 따라오게끔 만들어 버린다.

한편 홀소리 사이에 낀 닿소리는 울림소리[유성음 有聲音]로 변화하는데, 이는 여자들 사이에 끼어 있는 행복한 남자들이 흐물흐물해져서 자신의 남성다움을 보여 주지 못하고 여성화(女性化) 하는 것으로 비유

우리말과 우리글

(比喩)할 수 있다.

곧, 홀소리 사이에 끼인 안울림닿소리[무성자음 無聲子音] 'ㄱ', 'ㄷ', 'ㅂ', 'ㅅ', 'ㅈ' 따위도 울림소리를 닮아 울림소리되기[유성음화 有聲音化] 현상이 나타나는 것이 보통이지만, 자기 주제를 지킨다고 주체의식 (主體意識)이 강한 경우에는 된소리로 자신을 바꿔 놓음으로써 된소리되기[경음화 硬音化] 현상이 나타나기도 한다.

곧, 여자답게 바뀜을 거부하고, 좀 더 강한 남자의 성격을 띠는 것이 된소리되기이다. 보기를 들건대, '강가'가 '강까', '등불'이 '등뿔', '봄바람'이 '봄빠람'으로 소리 나는 경우가 그것이다.

이런 점에서 보면, 된소리로 변하는 것이야말로 남자답다 하지 않을 수 있겠는가?

비록 제 소리값은 잃었지만, 그래도 주체성은 어느 정도 살리려고 했으니까!

한편 거센소리되기[격음화 激音化] 현상은 "ㄱ, ㄷ, ㅂ, ㅈ"이 "ㅎ"과 만나서 그 중간 소리인 "ㅋ, ㅌ, ㅍ, ㅊ"로 변하는 것이다.

일반적으로 볼 때, 목소리에 속하는 "ㅇ, ㆆ, ㅎ"의 소리값이 다른 소리들에 비하여 약한 데도 불구하고, 약한 소리인 "ㅎ"과 만나서 그 중간 소리로 소리값이 변하는 것을 보면, 참으로 희한(稀罕)하기도 하다.

(4324.9.14 신정동에서 씀)

우리 말, 우리 글을
중시하는 어문정책을!

- 장OO 씨의 한자 중시 어문정책의 필요에 대한 논거 반박

1988년 5월 28일자 동아일보 언단란에 실린 장OO씨의 한자 사용 주장에 관하여 반대 의견이 있어 이 글을 투고(投稿)한다.

먼저 한자 중시 어문정책의 필요성에 관한 씨의 논리적 근거에 대한 반론을 제기하고, 우리말 우리 글 중심의 어문정책의 방향을 제안하고자 한다.

첫째, 씨는 한자를 쓰지 않는 경우 말의 뜻을 쉽게 이해할 수 없다고 주장하면서, 한글 전용에 관한 주장을 맹목적인 쇼비니즘으로 매도(罵倒)하고 있다.

그렇다면 과연 씨의 말대로 한자를 쓰지 않으면 무슨 말인지 선뜻 이해할 수 없다는 그의 첫 번째 논리는 맞는 말인가?

씨는 그 예로서 〈수도가 수도로 변하고〉를 한자로 표기하지 않으면

우리말과 우리글

무슨 말인지 잘 알 수 없다고 주장한다.

정말로 알 수 없다!

그러나 우리가 우리에게 익지 않은 수도(水都)란 말을 굳이 한자로 만들어 써야 할 이유는 도대체 어디에 있단 말인가?

우리의 입말을 쓰더라도 얼마든지 서울의 큰 물난리를 표현할 수 있고, 그 말깔(nuance)을 살릴 수 있다.

보기를 들건대, 〈물의 도시로 바뀐 서울〉 또는 〈서울은 물 속에 차다〉 따위로 쓰든지, 좀더 상징적 의미를 부여하고 싶다면, 〈헤엄치는 서울〉 따위로도 얼마든지 표기할 수 있을 것이다.

우리말, 우리글을 갈고 닦아 쓰자는 주장이 맹목적인 쇼비니즘이 아니라, 우리에게 낯선 한자말을 일부러 만들어 한자로 표기하는 것이 오히려 맹목적인 사대주의(事大主義)가 아닐까?

아니면 젠체하는 거드럭이들의 흔히 있는 거드름의 발로(發露)일 수도 있다.

둘째, 씨는 한자를 사용하지 않는 한글 전용 정책이 깊은 사고력과 판단력을 저하(低下)시켰을 뿐만 아니라, 청소년들의 물질만능적 타락상을 조장하여 왔다고 주장하면서 한자 교육을 통하여 타락된 도덕성을 회복하여야 한다고 강조한다.

그러나 과연 한글 전용이 우리 청소년들의 사고력과 판단력을 저하시켰는가?

물론 언어가 인간의 사고방식이나 사고 능력에 영향을 미친다는 사실은 언어 심리학자들도 인정하고 있다.

그러나 굳이 한자를 쓰므로 사고력이나 판단력이 향상되고, 한글을 쓰므로 그들이 저하된다는 논리는 있을 수 없다.

인간의 사고력과 관계되는 것은 개인이 알고 쓰는 어휘(語彙)의 수 또는 어순(語順) 구조 따위이지, 결코 한자 사용이냐, 한글 전용이냐의 문제는 아닌 것이다.

더욱이 한글 전용과 청소년들의 도덕적 타락상이 무슨 관계가 있단 말인가?

씨의 논리는 도저히 이해할 수 없다.

한자 교육을 통하여 도덕성을 회복해야 한다는 씨의 주장은 한자 교육과 윤리 교육을 동일시하는 데서 나온 오류(誤謬)일 뿐이다.

결코 윤리 교육은 한자 교육을 통해서만 이루어지는 것은 아니다.

셋째, 씨는 "국민학교를 졸업하고도 자기 이름조차 못 읽고 못쓰는 〈인공저능아〉들을 위하여, 대학을 졸업하고도 신문에 나온 한자를 몰라 쩔쩔매는 〈인공어맹엘리뜨〉들을 위하여" 한자 중시의 어문정책이 필요하다고 비아냥거리고 있다.

자기 이름을 한자로 못쓴다고 해서, 한자로 된 신문을 못 읽는다고 해서 신문 지상에서 씨의 비아냥의 대상이 되어야 할 이유가 어디에 있단 말인가?

쓴 이만해도 씨가 사용하는 〈인공저능아〉나 〈인공어맹엘리뜨〉라는 낱말들이 무슨 뜻인가 잘 모른다.

〈인공〉이라는 말과 〈인공어맹〉이라는 말을 〈저능아〉와 〈엘리뜨〉라는 낱말머리에 붙여서 만들어낸 새로운 낱말임은 분명한데, 왜 〈인공〉이라는 말을 붙였는지는 선뜻 이해가 안 된다.

아마도 씨의 글을 읽은 많은 사람들도 이러한 어색한 한자말에 거부

우리말과 우리글

감을 느끼리라 생각된다.

그렇다고 해서 그들이나 필자가 〈인공저능아〉나 〈인공어맹엘리뜨〉라는 비아냥거림을 받아야 한단 말인가?

진정 씨가 씨의 표현대로 〈인공저능아〉나 〈인공어맹엘리뜨〉를 위한다면, 한자 중심의 어문정책을 주장하기보다는 씨가 만들어낸 것과 같은 어색한 한자 조어(造語)를 쓰지 않는 것이 낫지 않을까?

넷째, 씨는 한자 교육을 주장하는 또 하나의 근거로서, 이웃인 일본과 중국의 한자 교육의 예를 들면서, 우리가 동양문화권(東洋文化圈)에 속해 있음을 상기시키고 있다.

그러나 일본과 중국의 한자 교육을, 우리가 동양문화권에 속한다고 해서, 모방(模倣)해야 한다든가, 나아가서 그것을 타산지석(他山之石)으로 삼아야 할 이유는 전혀 없는 것이다.

그들의 의사 표시 수단인 그들의 글자가 너무 배우기 어렵다거나, 완전하지 못하기 때문에 그를 보충하기 위해서 이루어진 중국과 일본의 한자 교육 정책이 어떻게 우리의 한자 사용 정책의 근거가 된단 말인가?

친구가 강남 간다고 쓸데없이 따라간단 말인가?

동양문화권 속에서의 고립(孤立)이나 단절(斷絕)을 씨는 염두에 두면서 한자교육을 주장하는 듯하지만, 전통적 우리 문화의 계승이 반드시 한자의 사용에 의해서만 이루어 질 수 있다는 주장은 문제가 있다고 본다.

우리말 우리글을 통해서 오히려 더 위대한 문화의 계승은 물론이요, 창달(暢達)이 가능한 것이기 때문이다.

우리말, 우리글 ㅣ

그러하다고 해서, 필자가 전혀 한자 교육을 폐지(廢止)하자는 것은 아니다.

한자를 배우는 것은 일본 글자를 알거나 영어 낱말을 이해하는 것과 같은 맥락(脈絡)에서 이루어져야 할 것이다.

우리 선조들이 남겨 놓은 옛 문헌의 연구에도 필요하고, 중국이나 일본의 문물을 이해하는 데도 필요하며, 씨가 말하는 바와 같이 서해안의 문을 여는 데도 필요하다.

그러나 우리가 미국의 문물을 이해하고 통상(通商)하는 데 영어가 필요하다고 해서 모든 국민이 다 영자 신문을 읽을 줄 알아야 한다든지 영어로 자기 이름을 쓸 줄 알아야 하는 것이 아닌 것처럼 한자 또한 마찬가지라고 본다.

한자 교육이나 영어 교육이나 외국어 교육은 필요에 의하여 교육되어야지 비꾸러진 사대적 발상(發想)에 의하여 교육되어서는 안 된다.

그리고 그 쓰임도 우리의 일상생활에서 남용(濫用)되어서는 아니 된다.

왜냐면 그것은 우리 국민정신을 좀먹기 때문이다.

쓴 이의 주장은 한자 교육을 반대하는 것이 아니라, 우리말 우리글에 대한 갈고 닦음이 앞서야 할 것임을 지적하고자 하는 것이다.

우리말도 제대로 쓰지 못하면서, 한자나 외국어를 중시하는 이문정책을 역설하는 것은 좀 삼가야 할 일이라고 생각한다.

보기를 들건데, 씨의 글 가운데 "우리 한글은 소리글자로서는 훌륭하지만 뜻글자로서는 말의 뜻을 정확히 전달하는 데 〈애매하다〉는 취약점을 안고 있다"는 글월이 있는데, 여기에서 씨가 〈애매하다〉는 낱말을

우리말과 우리글

한자식 억지 조어로서의 애매(曖昧)로 생각하여 쓰고 있는 듯이 생각되지만, 이는 잘못된 것이다.

이 낱말은 '모호하다'라는 말로 바꿔 써야 올바르게 쓰는 것이다. 왜냐면, '애매하다'라는 낱말은 죄 없는 사람이 오해를 받았을 때 항변하는 뜻으로 쓰이는 순수한 우리말이며 결코 모호하다는 의미는 가지고 있지 않기 때문이다.

따라서 굳이 한자말로서의 애매라는 말을 쓰기를 원한다면 반드시 한자어로 표기해 줌으로써 우리 고유의 순수한 우리말을 한자로부터 오염(汚染)시키지는 말아야 할 것이다.

그러나 이 경우에도 문제가 남는 것이 한자로 쓴 애매라는 말은 이전에 사용되었던 전례(典例)가 없는 억지 조어라는 점이다.

전례도 없는 한자 조어를 굳이 사용하여 순수한 우리말의 의미를 뒤바꿔 놓거나 혼동(混同)시켜 가면서까지 한자 중심의 어문정책을 주장해서는 안 될 것이다.

우리는 모두가 다 우리 대한국민이며, 훌륭한 우리말과 우리글이 있는 이상, 우리말 우리글부터 아끼고 가꾸고 바로 쓰는 것은 맹목적 애국이 아니요 당연한 것이다.

왜냐면, 우리말과 우리글은 바로 우리 국민들의 역사이자 생활이며, 우리 조상들의 살아 있는 숨결이고, 우리 자손들의 슬기를 북돋아 줄 수 있는 값있는 유산이기 때문이다.

따라서 쓴 이는 한자 중시의 어문정책보다는 우리 말 우리글 중심의 어문정책이 필요하다고 본다.

잊혀 가는 우리 말, 우리글을 꾸준히 찾아내고 갈고 닦고 추슬러서

우리말, 우리글 I

쓸 수 있도록 하는 한편, 무분별하게 남용된 외래어나 어색하게 번역된 한자어를, 될 수 있는 한, 그에 알맞은 순 우리말로 바꾸어 쓰는 창조적 노력으로서의 어문 정책이 필요한 것이다.

다시 말해서, 새로 만들어진 낯선 낱말들을 익힐 수 있도록, 그리고 이미 죽어 버린 또는 죽어 가는 우리말을 되살려내고 되새길 수 있도록 해주는 어문 정책이 필요한 것이다.

보기를 들건대, 대학 입시나 대학원 입시에서 우리 말 우리글에 대한 낱말 시험을 필수(必須)로 부과한다든지, 문교부에 '우리 말 심사위원회'를 설치하여 잊혀 가는 우리말을 찾아내고, 신문, 방송, 학교 등에 보급(普及)한다든지, 각 학회에서 사용하는 학문적 용어의 통일과 외국 학술 용어의 우리 말 번역(飜譯)을 위해서 연구보조비를 지급한다든지 하는 체계적이고 일관된 우리말 우리글 중시의 어문정책이야말로 민족 자존(自尊)의 시대적 요청이 아니겠는가?

더욱이 씨는 한문 교육을 통해서 청소년들의 타락(墮落)된 도덕성을 회복시켜야 한다고 주장하지만, 어떻게 한글 전용이 타락된 도덕성의 원인이 된단 말인가?

청소년의 타락된 도덕성이나 물질적 만능이라는 사고방식은 시대 변천(變遷)에 뒤따르지 못한 윤리 교육의 문제이지, 한자 중심 어문 교육의 부재(不在) 때문은 아닌 것이니.

(동아일보에 기고(寄稿)하려고 썼으나, 너무 늦어 안 보냄. 1988.5.31)

우리말과 우리글

우리말 우리글 II

우리 성(姓) 우리 이름

우리말 나라 이름

독도는 어원(語源)으로 보아도 우리 땅이다.

이것도 테스 형에게 물어보아야 하나?

우리 성(姓),
우리 이름

우리 아이들 이름은 큰 놈이 '밝음'이고 작은 놈이 '밝은'이다.

벌써 15년 전, 결혼하고 첫아이를 가졌을 때부터 이리 궁리 저리 궁리 하다가 찾아낸 우리말 이름이다.

그 당시 이 이름을 가지고 아버님을 설득(說得)하여 호적(戶籍)에 올리느라 꽤 애는 먹었으나, 아버님께서는 그래도 젊은 사람들을 많이 이해하시고 생각이 깊으셔서 그렇게 큰 반대는 아니 하셨다.

다만, 한학(漢學)의 대가(大家)이신 큰아버님은 한글 이름을 어떻게 호적에 올리느냐고 펄펄 뛰셨으나, 실력 행사를 통해 출생신고(出生申告)를 해버림으로써 우리 아이들은 한글 이름을 가지게 되었다.

그러나 족보(族譜)에는 우리 아이들 이름이 한자로 인환(仁煥)이, 영환(榮煥)이로 올라갔는데 그것만은 내 힘으로 어쩔 수 없었다.

아이들 이름을 짓기 위해서 여러 가지 문헌(文獻)들을 고찰(考察)해

우리말과 우리글

본 결과, 우리나라에서 한자말로 이름을 짓고 그에 익숙해진 것은 고려 때부터인 것을 알았다.

그 이전(以前)에는 우리말로 이름을 지었으나, 그것을 표시(表示)할 마땅한 글자가 없었기에 한자로 표기(表記)하였을 따름이었다.

이때 한자로 표기하는 데는 일정한 법칙을 가지고 있었는데 그 한 가지가 이두(吏讀)식 표기법(表記法)이다.

곧, 한 글자는 소리[음 音]를 따오고, 다른 한 글자는 뜻[훈 訓]을 따오는 방법이 그것이다.

순수한 우리 성(姓), 우리 이름을 들어보면 다음과 같다.

1 '밝(붉)'씨

신라의 건국자(建國者)인 박혁거세(朴赫居世)라는 이름은 순 우리말로 '밝은 임금'이라는 뜻이다.

박(朴)은 '밝(붉)'이라는 소리를 나타내기 위해 사용한 한자(漢字)이고, 혁(赫)은 '밝을 혁(赫)'자로서 밝다는 뜻을 나타내 준다.

이를 보충해 주는 것으로서 박혁거세(朴赫居世)라는 이름 이외에도 '불구내(弗矩內)' 왕이라고도 불렸는데, 이는 '붉은 애' 또는 '밝은 애' 임금님이라는 말을 나타내기 위해 사용된 한자식 표현이다.

거세(居世)는 그 당시 임금의 칭호(稱號)가 틀림없다고 생각한다.

왜냐면, 신라 임금의 칭호는 거서간(居西干), 차차웅(次次雄), 이사금(尼師今), 마립간(麻立干), 왕(王)으로 옮아갔기 때문이다.

곧, 거서간(居西干)의 '거서'나 박혁거세(朴赫居世)의 '거세'는 임금(또는 족장)이라는 뜻을 가진 같은 말로 본다.

이렇게 볼 때, 박혁거세(朴赫居世)는 '밝은 임금'을 뜻하는 순수한 우리말을 한자를 빌어 이두식(吏讀式)으로 표기한 것이다.

한편, 거세(居世)나 거서(居西)가 같은 말임은 분명하나, 임금을 나타내는 칭호라기보다는 도시나 고을을 뜻하는 말일지도 모른다.

왜냐면, 거세(居世)와 거서(居西)는 '가소, 거소, 거서, 가시, 가수, 거시, 거사, 가지, 거지, 가주, 것, 곳, 갓' 따위와 같은 무리의 말인데, 이들은 '밭, 골, 고을, 촌락, 도시'를 뜻하여 쓰인 것으로 추정되는 까닭이다.1)

이런 경우, 박혁거세는 '밝은 밭', 또는 '밝은 고을(도시)'의 의미를 띤다고 할 수 있다.

이 때, 거서간(居西干)의 '간'은 우랄 알타이어에서 '최고, 으뜸'을 뜻하는 말로서, '김, 간, 검, 곰, 한' 따위와 같은 무리에 속하며, 최고 높은 지위(地位)를 표시하는 데 사용된 말이다.

---

1) 예컨대, 거서(居黍:경기 용인지방의 신라 지명), 거소(巨素: 신라 9도독부의 하나, 지명 불명), 거사물(居斯勿: 갓마루, 남원 지방의 옛이름), 가소(加召) 또는 가조(加祚: 경남 거창지방의 신라 지명), 가수(嘉樹 또는 嘉壽: 경남 합천지방의 신라 지명), 가시금(加尸今: 경북 고령 지방의 신라 지명), 가실왕(嘉悉王: 가야 임금), 가지(加知: 충남 은진 지방의 옛 지명), 가지달(加支達: 갓늘, 함남 안변 지방의 고+려 지명), 가지근(加知斤: 경남 유기현의 옛 지명, 위치 불명), 가지산(迦智山: 갓뫼, 전남 합천), 가주화(加主火: 갓벌, 경남 합천 지방의 신라 지명) 따위의 옛 지명에서 볼 수 있듯이, '갓'을 중심으로 하는 말들이 지명에 많이 사용되었다.
'갓'의 옛 의미는 '밭'인데, 밭을 중심으로 하여 사람들이 모여 살면서 곳-->고을(-->도시-->국가)의 의미로 전화(轉化)된 것으로 추정한다.
이 이외에도 여러 설이 있는데, 이에 관해서는 송근원, 2016. 〈우리 뿌리말 사전: 말과 뜻의 가지치기〉, 49-50쪽을 볼 것.

우리말과 우리글

이 말들에 대해서는 다음 쪽, '김', '검'씨'에서 자세히 다루므로 여기서는 설명을 생략(省略)한다.

따라서 거서간(居西干)은 고을 또는 도시의 최고 높은 지위를 지칭하는 칭호라 할 수 있다.

어찌되었든, 박(朴)씨는 '밝은 임금'을 시조로 하는 순수한 우리말 성(姓)인 '밝(붉)'씨임에 틀림없다고 생각한다.

백(白)씨도 순수한 우리 성(姓)인 '밝(붉)'씨의 변음일 가능성이 높다.

이 성(姓) 역시 '밝음' 또는 '환함'을 나타내 주는 순수한 우리말 성(姓)이라 생각한다.

일설에는 우리나라 백씨의 시조(始祖)가 중국 백자경(白子經)이라 한다. 그는 본래 당(唐)나라 소주(蘇州)인이었는데, 신라 37대 신덕왕 때에 귀화(歸化)하여 신라의 대상(大相)을 지냈다고 한다.

그러나 이 설은 후에 사대적(事大的) 사고에 의하여 조작(造作)되었을 가능성이 전혀 없는 것은 아니다.

우리나라의 산 이름에는 백산(白山)이 아주 많은데, 옛날에는 '붉뫼' 또는 '흰뫼'로 불렀을 것이다.

② '김', '금', '엄'씨

우리나라의 성(姓)인 김(金)씨의 '김'이나, 금(琴/金)씨의 '금'이나 엄(嚴)씨의 '엄'이나, 금속 가운데 으뜸인 금(金)이나, 징기스칸[成吉思汗]의 '칸' 또는 '한'이나, 한국의 '한'이나, 단군의 '군'이나, 단군 왕검(王劍)의 '검'이나, 왕을 뜻하는 순수한 우리말인 임금의 '금'이나, 신라 왕을 일컫는 이사금(尼師今)의 '금'이나, 역시 신라 왕을 일컫는 거서간(居西干), 마립간(麻立干)의 '간'이나, 높은 지위를 나타내는 데 사용되는, 예컨대, 상감(上監) 대감(大監) 영감(令監)의 '감'이나, 다 같은 무리의 말로서 으뜸을 뜻한다.

우리 민족이 토템으로 삼고 있는 동물은 곰인데, 곰에게 '곰'이라는 이름을 붙인 것은 동물들 가운데 으뜸으로 치기 때문이다.

곰은 일본어에서 '구마(熊)'으로 불리는데, 역시 같은 뜻을 가지는 것으로 생각이다.

우리가 먹는 감(柿)을 '감'이라 부르는 것도 우리나라 과일 가운데 으뜸이라 여겼기 때문이다.

또한, 일본어로 신(神)을 '가미'라 하는데 역시 같은 무리의 말이다.

우리나의 지붕이라 불리는 개마고원(蓋馬高原)은 한글로 표기하면, '갬'고원 또는 '곰'고원인데 이때의 '개마', '갬', '곰'은 역시 최고로 높다는 뜻을 가진다.

아니면 곰이 많은 고원이라서 그랬을까?

으뜸을 뜻하는 '검'이라는 말은 유성음화 되면 'ㄱ'의 소리값[음가 音價]이 약해져 탈락(脫落)되고 '엄'으로 바뀌기 때문에, '엄' 역시 같은 뜻을 가진다.

엄지손가락의 '엄'이 그러하고, 엄(嚴)씨의 '엄'이 그러하다.[2]

또한 어금 버금, 또는 어금니의 '어금' 역시 같은 어원(語源)을 가진

---

[2] 비록 영월 엄(嚴)씨 족보에는 그 시조인 엄림의(嚴林義)가 중국 엄자릉(嚴子陵)의 후예라며 중국에서 온 성(姓)씨라 하나, 이는 사대주의의 영향인 듯하다. 어찌되었든 엄(嚴)씨는 '으뜸'의 뜻을 가진 우리말 성(姓)으로 본다.

우리말과 우리글

다고 생각한다.

한편, 김(金)씨는 비록 그 조상이 각각 다르다 해도--예컨대, 경주 (慶州) 김씨와 김해(金海) 김씨처럼-- 모두 다 순수한 우리말로 된 '김' 씨 성(姓)임에 틀림없으며 금((琴/金)씨 역시 마찬가지이다.

③ '말' 또는 '마루'씨

한편, 신라 임금 칭호 가운데, 마립간(麻立干)은 우리말로 '마루간'이 며, 이 낱말 역시 '첫째, 높다, 크다'는 의미의 '마루(ᄆᆞᄅᆞ)'와 '간'으로 만들어 진 낱말이다.

'마루'와 같은 무리의 말로서는 '마리, 머리', '말(ᄆᆞᆯ)', '맏(ᄆᆞᆮ)' 따위 를 들 수 있는데, 우두머리의 '머리' 또는 신체의 윗부분을 뜻하는 '머 리', 머리의 옛말로서의 '마리' 또는 말(馬)의 사투리로서의 '마리' 따위 는 역시 산마루, 등마루의 '마루'와 같은 무리에 속하는 말들로서 높다 는 의미를 띤다.

이런 점에서 볼 때, 삼한(三韓)시대의 마한(馬韓)은 순수한 우리말로 서 '말한' 또는 '마루한'이었을 것이다.

곧, 신라 임금의 칭호나, 나라 이름의 칭호로서 '말한'이나 '마루간' 은 같은 말이다.

또한, 말(馬)이라는 동물에 '말(ᄆᆞᆯ)'이라는 이름을 부친 것은 신라 사 람들이 말을 신성시하였기 때문이다.

이는 신라 시조 설화에 흰 말[天馬]이 등장하는 것에서도 엿볼 수 있으며, 한반도의 남쪽 지방에서는 발견하기 어려운 곰보다 훨씬 유용

한 동물로서의 말이 토템으로 숭상(崇尙)되었을 것이라는 추측이 가능하다.

'말'이라는 말과는 음운법 상 "ㄷ ㄹ 넘나듬" 현상을 보여 주는 '맏(믿)'이라는 낱말 역시 맏아들, 맏며느리의 '맏'에서 알 수 있듯이 첫째를 뜻하는 말로서 같은 무리에 속한다.

우리 고유 성(姓)에 '마루(ᄆᄅ)'씨 또는 '말(믈)'씨가 있었는데, 이것을 한자로 표기하다 보니 마(馬)씨가 되어 버린 듯하다.

이설(異說)에는 왕건이 고려를 세우고 후삼국을 통일하던 당시 목천(木川) 지방의 백제 유민들이 고분고분하게 순응하지 않고 소란을 자주 피웠으므로 그 지방 사람들에게 우(牛), 돈(豚), 장(璋), 상(象), 마(馬) 등 짐승의 이름을 성(姓)으로 내려주었는데, 뒤에 우(牛)씨는 우(于)씨로, 그리고 뒷날 다시 우(禹)씨로, 돈(豚)씨는 돈(頓)씨로, 장(璋)씨는 장(張)씨로, 상(象)씨는 상(尙)씨로 개성(改姓)하였다고 한다.

한편, 목천(木川) 마씨에 관하여 '동국여지승람(東國與地勝覽)'에는 고려 초에 후백제의 유민(遺民)이 반란을 자주 일으키므로 고려 태조가 가축 이름인 마씨로 성을 내렸다는 기록이 있으나, 마씨세보(馬氏世譜)에는 신라의 마지막 임금인 경순왕이 내린 성이라고 되어 있다.

그러나 목천을 본으로 하는 이들 성에 관한 이야기가 신빙성(信憑性)이 진혀 없는 깃은 아니나 믿을만하지 못하다고 생각한다.

반역(叛逆)을 꾀하였거나 보기가 싫으면 죽일 일이지, 임금이 성(姓)을 하사(下賜)할 일은 못 되기 때문이다.

그 당시 일반 백성들은 성(姓)이 없었고, 귀족 계급 등 특권층만 가질 수 있었다는 점, 그리고 특히 특별한 공적이 있을 때 임금이 성(姓)

을 내린다는 점을 고려할 때, 앞에서의 설화는 아마도, 음(音)이 같기 때문에 어떤 사람이 상상력을 동원하여 장난삼아 지어낸 말이 아닌가 생각한다.

④ '한' 또는 '환'씨

한편, 원래 '높다, 으뜸이다, 밝다, 크다, 많다'의 뜻을 가지는 '한'이라는 말은, 그 시원(始原)이 앞에서 이야기한 '칸'과 같은 까닭에, '칸'과 같은 무리의 말들인 '감, 곰, 금, 군, 검' 따위와는 형제말을 이루고 있었으나 뒤에는 이들과 갈라져서 주로 '밝다, 또는 크다'의 뜻을 가지게 되었다.

우리의 시조인 환인(桓因) 천제와 환웅(桓雄) 천제의 '환'이나, 환하다의 '환'이나, 전부 '밝다'는 뜻을 가진다. 하늘의 '한' 또는 하느님의 '한' 역시 '밝은, 큰, 높은, 으뜸인 님'을 의미한다.

하늘의 어원은 '한 + 울(옳)'이며, 이 때 '한'은 '크다, 넓다, 밝다, 높다'는 뜻이며, '울(옳)'은 우리와 같은 말로서 공간상의 경계선을 뜻하기도 하고, 같은 무리를 의미하기도 한다.

따라서 하느님은 당시에 다른 종족과 구별되는 우리 무리의 족장(族長)을 뜻하다가, 그것이 나중에 확대되어 신(神)의 뜻을 띠게 된 것으로 보인다.

이런 점에서 볼 때, 한국은 옛날이나 지금이나 밝은 나라이며, 큰 나라이다.

고조선 시대 우리나라의 이명(異名)이 환국(桓國)이었으며, 단군 신화

244

에서의 환인, 환웅 천제는 '환한(밝은)' 임금이고, 고구려 첫임금의 명칭 역시 '동방의 밝은 임금'이라는 동명왕(東明王)이며, 신라의 첫임금인 박혁거세 역시 '밝은 임금'이다.

이와 같이 먼 옛날 우리나라의 건국 시조들의 명칭이 모두 '밝은' 임금이라는 점을 통해서 알 수 있는 것은, 나라는 달라도 모두 밝음을 숭상하는 같은 민족으로서의 동질성(同質性)을 가지고 있었다는 사실이다.

비록, 기자(箕子)가 한국으로 도망쳐 와서 기자조선을 세우고 그 마지막 왕인 준(準)의 후손으로 삼 형제가 있어 각각 기(奇)씨, 선우(鮮于)씨, 한(韓)씨로 갈라졌다는 시조 설화가 있지만, 쓴 이의 생각에는, 한(韓)씨가 고조선 시대부터 왕족으로서의 순수한 우리 성(姓)인 '한' 또는 '환'씨일 것으로 생각한다.

곧, 기자 동래설(箕子東來說)은 사학자들의 문제이기는 하지만, 중국의 중심부를 차지하고 있었던 상(商)의 지배자들이 동이족(東夷族)임을 생각할 때 우리 민족과는 혈연상 가까운 민족이었다고 할 수 있다.

그 당시 고조선의 강대한 세력에 밀리어 중국으로 이동한 동이족의 일파가 하(夏)를 멸망시키고 중국 천하를 다스린 것이 상(商)이었기 때문이다.

기자가 상(商)의 왕족이었고, 서쪽에서 일어난 신진 세력인 주(周)에 의해 상(商)이 멸망당하고 나서, 원래의 고향이었던 만주 쪽으로 망명함으로써 기자 조선을 세웠다 하여도, 그 것은 있을 수 있는 일이며, 그 자손이 '한'씨 성을 가졌다는 것이 조금도 이상할 리 없기는 하다.

그러나 이러한 설화는 사대적 발상에 따라 후대에 억지로 끌어다 붙

우리말과 우리글

인 것에 지나지 않은 것으로 보기도 한다.

만약 앞에서 논의하였듯이, 백(白)씨가 순수한 우리말의 '환'씨를 한 자로 표기한 것으로 볼 때, 백(白)씨는 한(韓)씨와 같은 무리의 성이라 할 수 있다.

5 '온'씨와 '안'씨

온(溫)씨와 안(安)씨 역시 순수한 우리말 성(姓)으로 볼 수 있다.

온(溫)씨와 안(安)씨는 '넓다, 크다, 많다, 완전하다'는 뜻의 '은'에서 온 말이다.

예컨대, 바보 온달(溫達)과 평강공주(平岡公主)의 이야기에서 나오는 온달은 순 우리말 이름으로 생각한다.

이때 '온'은 '온 세상, 온 종일, 온갖 것'의 '온'과 같은 말이며, 지 금은 쓰이지 않지만 옛날에는 백(百)을 나타내는 말이기도 하다.

'달'은 '돌, 산'을 뜻하는 옛말 '돍'에서 온 말로 때로는 산에 사는 짐승인 양(羊)이나 호랑이를 뜻하여 쓰이기도 한다.

곧, 온달이란 이름은 '큰 (돌)산' 또는 '큰 양(羊)' 또는 '큰 호랑이'를 뜻하는 순 우리말 이름일 것이다.

6 '돌' 또는 '들'씨

양(梁)씨는 시조가 제주도 삼신 중의 하나인 양을나(良乙那)를 시조 로 하고 있으며, 신라 태종무열왕 때 양(梁)씨 성을 하사받았다고 한다.

이때 양(梁)은 우리말로는 '돌' 또는 '들'로 읽혀졌기 때문에, 우리말 성(姓)으로는 '돌'씨 또는 '들'씨로 불림이 옳은 것 같다.

예컨대, 노들나루를 노량진(鷺梁津)이라 하고, 울돌목을 명량(鳴梁)이라 하므로 '량(梁)'이라는 한자는 '돌'로 읽히는 것을 알 수 있으며, 또한, 옛날 가야 말로 문(門)을 '돌'이라 했다는 삼국사기의 기록이 이를 뒷받침해 준다.

곧, "전단돌(旃檀梁), 이것은 성문(城門)의 이름인데, 가야 말로 문(門)을 돌(梁)이라 한다"(심재기, '나랏말ᄊᆞᆷ 스랑ᄒᆞ노라', 우진출판사, 1990, 153쪽).

이때의 '돌' 또는 '들'은 '돌, 들, 달'과 같은 무리를 이루는 것으로서 생산과 풍요를 상징해 주는 들판의 뜻이나, 소나 양을 토템으로 하는 부족을 나타내 주는 양(羊)이라는 뜻, 또는 문을 뜻하는 우리말임에 틀림없다.

⑦ '불' 또는 '부을'씨

부(夫)씨는 시조가 제주 삼성혈(三省穴)의 신화에 등장하는 부을나(夫乙那)인데, 아마도 우리말의 불을 뜻하는 '부을'과 나라, 또는 족장을 뜻하는 '나'가 결합된 이름인 듯하다.

따라서 제주 부(夫)씨는 원래 우리말 성(姓)으로 '불'씨로 불리었을 가능성이 높다.

8 '골' 또는 '고을'씨

제주 고(高)씨는 역시 제주 삼성혈 신화의 주인공인 고을나(高乙那)를 시조로 하는데 이 성(姓)은 순수한 우리 성(姓)으로서 '골' 또는 '고을'씨인 것 같다.

이 성(姓)이 가지는 의미는 도시를 뜻하는 고을이라고 본다.

따라서 이상에서 논의한 바와 같이, 순수한 우리 성(姓)은 박, 백, 김, 금, 엄, 마, 한, 안, 온, 양, 부, 고씨 등이라 할 수 있는데, 김(金)씨는 한자를 쓰지 말고 그냥 '김' 또는 '검'씨로, 박(朴)씨는 '밝(붉)'씨로, 백(白)씨는 '밝(붉)' 또는 '흰(힌)'씨로, 마(馬)씨는 '말(몰)' 또는 '마루(ᄆᆞ르)'씨로, 한(韓)씨는 한자를 쓰지 않고 '한' 또는 '환'씨로, 온(溫)씨나 안(安)씨는 역시 한자 없이 '온'과 '안'씨로, 양(梁)씨는 '돌' 또는 '들'씨로, 부(夫)씨는 '불' 또는 '부을'씨, 고(高)씨는 '골' 또는 '고을'씨로 바꾸는 것이 우리말로 된 우리 성(姓)을 되찾는 길이 아닐까?

(4324.7.8.)

우리말
나라 이름

① 신라(新羅)와 '새라'

신라(新羅)라는 이름은 '새나라'를 뜻하는 '새라'라는 우리말을 후에
이두(吏讀)식으로 표현한 것으로 본다.

곧, 신(新)은 '새'라는 뜻을 나타내기 위한 차자(借字)이며, 라(羅)는
'나라'를 뜻하는 우리말 '라'의 음(音)을 한자로 표기한 것이다.

위지(魏誌)와 삼국사기(三國史記)에 의하면, 변진(弁辰) 가운데 한 작
은 나라인 사로국(斯盧國)은 경주 지방의 서나(徐那), 서야(徐耶), 서라(徐
羅)와 동음이칭(同音異稱)으로서 여섯 촌(村)이 결합 발전되어 신라(新羅)
가 되었다고 기록하고 있다.

또한, 삼국유사(三國遺史)에는 신라의 옛 이름을 서라벌(徐羅伐) 또는
서벌(徐伐)이라 했다는 기록이 나온다.3)

---

3) 國號徐羅伐乃徐伐

우리말과 우리글

이 때 '사(斯) 또는 서(徐)'는 '새, 서, 소, 사, 쇠' 등과 같은 무리의 말로서 '새롭다, 또는 동(東)쪽'이라는 뜻을 나타내는 우리말이다.

예컨대, 백제에 있는 지명 가운데, 소부리(所夫里), 사비(泗批)라는 이름에서, 그리고 마한(馬韓) 중의 한 나라로서, 분명치는 않으나 지금의 충남 홍성군 장곡면 일대라고 생각되는, 백제의 사시라(沙尸良) 현(縣) 지방에 있었던 일명 사라(沙羅)라 부르던 사로국(駟盧國)의 이름에서 볼 수 있는 '소, 사' 따위 역시 같은 무리의 말로서 '새롭다'는 뜻으로 추정한다.

'로(盧) 또는 라(羅)'는 '라, 락, 야, 나' 따위와 같은 무리를 이루는 말로서 '나라'를 뜻하는 말이다.

예컨대, 탐라(耽羅), 가라(加羅, 伽羅, 迦羅), 신라(新羅), 서라벌(徐羅伐)의 '라'나, 가락(駕洛, 加洛)의 '락'이나, 가야(伽倻, 加耶, 伽耶)의 '야', 탐라국의 시조인 고을나(高乙那), 양을나(良乙那), 부을나(夫乙那)의 '나', 그리고 일본 역사에 나오는 임나(任那)의 '나' 및 도시 이름인 나라[奈良]의 '라'는 전부 도시 또는 도시국가의 형태를 지칭하는 말이라고 생각한다.

그러나 이 말들이 주로 한반도 이남의 낙동강 유역과 그 동쪽 및 일본에서 쓰인 것을 보면 이 말의 유래가 아마도 남방어(南方語) 계통(系統)에서 온 것이 아닌가 여겨지기도 한다.

곧, 북상(北上)하는 해류(海流)를 타고 남방계통의 이주민이 한반도에 상륙하여 북방민족과 함께 나라를 세운 것이라는 추측도 가능하다. 가락국 수로왕(首露王)의 왕비인 허황옥(許黃玉)의 전설에서도 이를 간접적으로나마 추측할 수 있다.

한편, '벌(伐)'은 벌판, 개펄과 같은 말의 '벌 또는 펄'로서 넓은 들[平野]을 나타내 주는 우리말을 한자로 표기한 것이다.

이 때 벌(伐)은 '발, 불, 비리, 부리, 부루, 비류, 부소, 부시, 부여' 따위와 같은 무리에 속하며, '벌판'의 뜻 이외에도 '밝음이나 불[화 火]'을 뜻하기도 한다(이에 관하여는 부여(夫餘)라는 나라 이름에서 좀 더 자세히 이야기 하겠다).

따라서 신라(新羅)라는 이름은 '새나라' 또는 '동쪽 나라'의 뜻을 가진 순수한 우리말 '새라'임에 틀림없다.

한편, 현재 '서울'이라는 이름은 '서라벌' 또는 '서벌'에서 온 말이라 생각한다. 곧, '서벌'에서 "ㅂ"이 유성음화하여 '셔볼'로 바뀌고, 음가가 약화되어 "ㅸ"이 탈락되어 서울로 된 것이다.

② 백제(百濟)와 '맏지 또는 마루지'

백제(百濟)는 그 이름이 원래 십제(十濟)라 하였다가 규모가 커지자 백제(伯濟)라 개칭하였으며(B.C. 18년), 마한(馬韓) 50여 부족의 하나인 이 백제(伯濟)를 기반으로 하여 고구려에서 남하한 유이민들과 결합함으로써 고대국가인 백제(百濟)로 발전되었다는 것이 정설이다.

이 때, 백제(伯濟)의 이름은 백(伯)과 제(濟)로 이루어져 있는데, 이때의 백은 우리말의 '맏'에 해당한다.

마한(馬韓)이 우리말로 '말한(맏한)'이며, 백제(伯濟)는 우리말로 '맏'이라는 말과 '제(濟)'라는 말로 이루어져 있으므로, 백제(伯濟)나 마한(馬韓)은 결국 같은 내용의 이름임을 알 수 있다.

우리말과 우리글

 이런 점에서 볼 때, 마한은 한반도에 위치했던 마한, 변한, 진한의 삼한 가운데 제일 맏이로서의 구실을 하였다고 볼 수 있다. 곧, 삼한시대의 초기에는 삼한의 맹주였었을 것으로 추정한다.

 후에 '맏 백(伯)'을 '백 백(百)'으로 바꾼 것은 마한의 온 부족을 다 통일하여 고대국가로서의 체제로 바꾸었기 때문으로 생각한다.

 이 때, 백제의 '제(濟)'는 '지'로 발음되는데, 우리말의 '시, 지'와 같은 무리에 속하는 것으로서 도시 또는 나라를 뜻한다. 예컨대, 목지국(目支國), 월지국(月支國: 달지)에서의 '지'와 같다고 본다.

 대구의 옛 지명이 달구벌(達句伐)인데. 달은 '들, 달'과 같은 음이고, 구(句)는 옛 발음(중국식 발음에서 유추)으로 '쥐'로 발음되는데, 이는 '지'와 같은 것으로서 도시를 의미하며, 벌(伐)은 벌을 나타내는 글자이다.

 이 이외에도 대구의 옛 명칭은 달구화현(達句火縣), 달불성(達弗城)으로도 표기되는 데 같은 뜻을 한자로 나타낸 것이다.

 어쩌면 달구는 우리말로 "달구다"의 의미를 띤 다시 말해서 불[화火]의 의미를 띤 말일 가능성도 있다. 만약 이렇게 본다면, 벌(伐)은 불을 나타내는 빌린 글자[차자 借字]일 수도 있다.

 고구려(高句麗)의 구(句)자 역시 '지'라는 음으로 불렸다고 추정된다. 따라서 고구려는 '고지레'로 불렸을 가능성이 있다.

3 탐라(耽羅)

 지금의 제주도를 말하는데, 옛날에는 둔라(屯羅), 담라(儋羅), 담모라

(躰车羅), 탐모라(耽车羅), 또는 다파나(多婆那)라고도 불리었다. 둔라(屯羅), 담라(憺羅), 탐라(耽羅)나 탐모라(耽车羅), 또는 다파나(多婆那)의 라(羅)와 나(那)는 앞에서 분석한 바와 같이 나라를 뜻하는 말이고, 둔(屯), 담(憺), 담모(躰车)나, 탐(耽), 탐모(耽车), 다파(多婆)는 '담, 다마, 돔, 다무' 따위와 같은 무리의 말로서 '옥(玉)' 또는 '옥빛'을 뜻하는 말로 보인다.

만약 그러하다면, 제주 바다의 색깔이 옥빛이므로 '옥빛의 섬'이라는 뜻이 될 것이다.

이에 대하여는 앞으로의 더 많은 연구가 필요하다고 본다.

④ 부여(夫餘)와 '불(밝은)' 나라

'부소(夫蘇), 부루(夫婁), 비류(沸流, 比流), 비리(卑離, 裨離), 비려(碑麗), 부리(夫里), 부여(夫餘)'는 부여, 고구려, 백제 때의 사람 이름이나 땅 이름, 나라 이름에 많이 나타나는 말들이다.

예컨대, 비류(沸流)는 동명왕의 둘째 아들 이름이고, 비류왕(比流王)은 백제 11대 왕이며, 부소(夫蘇), 부루(夫婁) 따위는 부여, 고구려, 백제의 사람 이름에 흔히 나타난다.

또한 땅이름이나 나라 이름에도 역시 많이 등장한다.

예컨대, 비류국(沸流國)은 고구려 초기 평남 성천 지방에 있던 나라로서 비류나(沸流那)라고도 불리웠고, 비류수(沸流水)는 고구려의 영토에 있던 강 이름이며, 비리국(卑離國)은 전북 옥구군 회현면 지방에 위치했던 마한(馬韓)의 한 소국을 지칭하며, 또 다른 비리국(裨離國)은 숙신 서

우리말과 우리글

북에 있던 나라로서 광개토대왕이 정벌한 비려(碑麗)가 바로 이것이니 현재의 송화강 유역의 할빈 근처로 추측된다(교육도서, 1988: '국사대사전' 참조).

또한, 백제어에서 부리(夫里)는 신라말의 벌(伐) 발(發) 불[火]과 같은 말로서 나라나 도시 이름을 나타내며 사용된다.

말갈족에 대한 또 다른 명칭인 '읍루(挹婁)' 역시 '부루'와 같은 무리에 속한다고 할 수 있다.

이와 같은 '부루, 부리, 비리, 비류, 부소' 따위의 말이나, 부싯돌의 '부시'라는 말은 전부 '불'을 의미하는 말들로서 같은 무리에 속한다.

이때 불은 '밝음'을 뜻하는데, 이런 점에서 볼 때, 만주 지방에서 고구려와 겨루었던 부여(夫餘)라는 나라들, 그리고, 비리국, 비류국 따위의 작은 나라들도 역시 같은 민족이 갈라져 세운 나라로서 '불(밝은)' 나라의 뜻을 띤 이름을 가지고 있다고 본다.

⑤ 말갈(靺鞨)

말갈족은 퉁구스족의 일족으로서 시베리아, 만주, 함경도에 걸쳐 살면서, 7개 부족으로 나뉘어 있었고, 역대 명칭은 숙신(肅愼: 周代), 읍루(挹婁: 漢, 魏代), 물길(勿吉: 南北朝時代), 말갈(靺鞨: 隨, 唐 以後)이라 불리었다.

고구려 때에는 고구려에 복속되었으며, 고구려가 망하자 발해에 예속되었었고, 발해가 거란에게 망한 이후 말갈의 중심세력인 흑수말갈은 거란에 부속하여 여진(女眞)이라 하였는데, 뒤에 금(金)나라를 세웠다(교육도서, 1988: 〈국사대사전〉 참조).

'말갈, 물길'은 마루[종 宗]와 같은 어원인 '말 또는 물'과 골 또는 고을과 같은 무리인 '갈 또는 길'과 결합된 이름으로서 '높은 골, 또는 높은 나라'라는 의미를 가진다.

뒤에 이들은 나라를 세우고 '금(金)'이란 이름을 붙였는데, 이때의 '금(金)'은 우리말의 '김, 검, 곰, 군, 간, 한' 따위의 말들과 같은 무리에 속하며, 그 뜻 역시 '으뜸'의 의미를 가진다.

특히 숙신(肅愼)이라는 말은 중국식으로 발음하면 조선(朝鮮)이라는 말과 소리값이 거의 같다.

이런 점에서 볼 때 말갈에 관한 언어학적 추정은 이들이 우리 민족과 같은, 적어도 혈연적으로나 언어적으로 아주 가까운 민족이라는 점을 시사(示唆)한다.

6 고려(高麗)

'고려(高麗), 고리(高麗)4), 고구려(高句麗/高勾麗/高駒麗/高句驪), 구려(句麗/句驪), 구리, 코리아'는 모두 우리나라의 옛 이름이다.

'고(高), 구(句), 코'의 그 소리값은 'ㄱ'과 'ㅎ'이 섞여 있는 'ㆆ'로서 보다 '해'를 뜻하는 말이었으나 후에 '높다', '크다', '무섭다'의 뜻으로 쓰였다.

이를 볼 때, 고구려(高句麗)나 고려(高麗)는 '해의 나라'라는 뜻을 가지며, 다른 나라들에게는 '무서운 나라'로 인식되었을 것이다.

---

4) 고리는 고려(高麗)의 원래 발음이다. 麗는 '나라이름 리'이다.

우리말과 우리글

⑦ 조선(朝鮮)

이 말은 고대부터 쓰이는 우리나라를 나타내는 말인데, 그 어원에는 여러 설이 있다.

가장 오래된 '사기'의 색은(索隱)에는 조(潮)와 선(鮮)이라는 두 물의 이름을 합하여 지은 이름이라 하며, '동국여지승람(東國輿地勝覽)'에는 동쪽의 해 뜨는 광경을 형용한 것이라 하고, '성호새설(星湖 說)'에는 조(朝)가 동방(東方)의 뜻이며, 선(鮮)은 선비산(鮮卑山)의 약칭(略稱)으로 선비산 동쪽의 나라라고 하였으며, 육당은 조(朝)는 '첫', 선(鮮)은 '샌다'로 "싱싱하다"는 뜻을 빌어 조선이라 한 것이라고 주장하고, 이병도는 조선(朝鮮)이 고조선의 도읍인 아사달(阿斯達)의 지명을 국명으로 한자의 뜻을 빌어 표기한 것이니 '아사'는 아침의 뜻이고, '달'은 언덕의 뜻이니 곧 아침 햇빛이 비치는 지역이 아사달이요 조선의 뜻이라고 하였다(교육도서, 1988: '국사대사전' 참조). 따라서 이들을 고려해 볼 때, 조선은 '동쪽 또는 새로운 나라' 또는 '아침의 나라'라는 뜻을 띤다.

어찌되었든 이 말이 무슨 뜻인지 정확하지는 않으나 숙신(肅愼), 식신(息愼), 직신(稷愼), 주신(朱愼) 등 옛부터 만주 지역에서 쓰인 나라이름들과 같은 무리에 속한다고 볼 수 있으며, 같은 핏줄의 국가들이 아닌가 싶다.

(4324.7.8.)

* 만약 우리 성(姓), 우리 이름과 우리말 나라 이름 등에 관심이 있으시다면, 침고문헌에 있는 우리말의 어원을 밝힌 〈우리 뿌리말 사전: 말과 뜻이 가지치기〉와 〈우리말의 뿌리를 찾아서〉 시리즈를 참조하시기 바란다.

독도는 어원(語源)으로 보아도
우리 땅이다.

독도: 일본과의 분쟁 아닌 분쟁?

독도는 비교적 큰 두 개의 섬과 작은 바위섬으로 이루어진 화산도로서 울릉도 동남 약 49마일 지점, 동경 131° 52'52", 북위 37°14'18"에 자리 잡고 있다.

원래는 경상북도 울릉군에 딸린 무인도였으나, 1965년부터 울릉도 주민이었던 최종덕(崔鍾德)이 독도에 거주하면서 전복, 소라, 미역 등을 채취하고 양식하면서 생활해 왔고, 1987년부터 그의 딸 내외가 독도의 유일한 주민으로 살고 있다.

1904년 일본 어민 나카이(中井養三郎)가 독도에서의 영업 허가를 얻기 위해 "리앙쿠르 섬의 영토 편입"에 관한 청원시를 일본 정부에 제출하자, 일본은 1905년 내각 결정의 절차를 거쳐 일본 시마네현(島根縣) 고시 제 40호에 "본 도서를 다께시마(竹島)라고 부르고 이제부터 본 현의 소속인 오끼(隱岐)의 소관으로 정한다." 라고 규정, 공포함으로써 독도를 일본의 행정 관할에 편입하였다.

그러나 우리나라에서는 이미 1900년에 공포된 칙령 제41호에서 독도의 소속 관할을 명료하게 기술하고 있다.

이 칙령의 명칭은 '울릉도를 울도로 개칭하고 도감을 군수로 개정하는 건'으로 되어 있으며, 제 2조에서 '······ 구역은 울릉전도와 ······석도를 관할할 것'이라고 규정하고 있다.

여기에서 석도(石島)는 울릉도민이 속칭 돌섬이라 부르는 독도가 분명하며, 주변에는 다른 도서라고 생각할 도서가 존재하고 있지 않다.

- 〈한국민족문화대백과사전〉 7, 48쪽-55쪽 및 〈우리말 큰 사전〉 893쪽에서 발췌

우리나라 사람들은 옛날부터 독도를 독섬이라고 불렀는데, 이는 돌로 이루어진 섬이라는 말이다.

지금도 경상도 지방에서는 '돌'을 '독'이라고 발음하기도 한다.

이는 '닭'을 '닥,' '흙'을 '흑'이라고 발음하는 것과 마찬가지이다.

현재 이름 '독도(獨島)'는 바로 이 '녹섬'을 한자로 표기한 것이다.

독도의 우리말 이름은 그대로 일본으로 전래되어 일본 사람들이 '다께시마'라고 부른 것이다.

곧, '다께'는 '독'의 변음(變音)이요, '시마'는 '섬'의 변음인 것이다.

만약 독도가 돌로 이루어진 섬이 아니고 대나무가 많이 있다면 일본 사람들이 다께시마(竹島)라고 부르는 것으로 보아 일본 땅임이 분명할 것이지만, 돌로 이루어진 섬으로 미루어 볼 때, 이 어찌 우리 땅임이 분명하지 않은가!

이런 점에서 볼 때, 독도 부근의 우리 영해를 이번의 한일어업협정에서 한일공동수역으로 인정한 것은 우리의 영토를 팔아먹는 일 아니겠

는가?

　　정부는 한일어업협정을 폐기하고 일본과 다시 협상에 임해야 한다.

　　이것은 단순히 우리 어민들의 문제로만 그치는 것이 아니다.

　　우리의 영토와 관련된 것이다.

(1999.3.19)

이것도 테스 형에게 물어봐야 하나?

요새 LH, LH 하는데 도대체 LH가 뭔고?

LH라고 하니 도대체 이게 무슨 외국회산가?

그렇담, 외국회사 직원들이 왜 땅 투기를 했단 말인가? 참으로 무슨 말인지 모르겠다.

인터넷 뒤져뒤져 찾아보니 〈한국토지주택공사〉를 줄여서 하는 말인 듯한데, 줄인다면 그냥 줄여서 〈주택공사〉라고 하면, 금방 알아들을 텐데…….

그럼 LH는 무엇의 약자인가?

인터넷으로 〈한국토지주택공사〉를 찾아보니 LH는 나오는데, 도대체 LH가 무엇의 약자인지는 나오지 않는다. H는 아마도 내 좋은 머리로 추정하건대 House 아닌가 생각되나, L은 그렇담 무엇인고?

아는 사람?

이리저리 뒤지고 뒤져 한참만에 찾아낸 게 Land의 첫글자라네~.

한국 사람이, 아니 한국 정부가 국민들을 위해 설립한 공공기업체가 〈한국토지주택공사〉인데, 왜 LH라고 쓰고 있는지 도대체 알 수가 없다.

외국 사람을 위해 LH라 쓰는 건가? 한국토지주택공사의 주요 고객이 외국인인가?

왜 쉽게 우리 대한 국민이 접근할 수 있는 우리말을 놓아두고 알지 못하는 LH를 쓰는가? 우리말이 없고 우리글이 없는가?

골빈 사람들 아닌가?

이게 도대체 〈한국토지주택공사〉에만 국한된 게 아니다. 이른바 수많은 공공기관들이 전부 그러하다. 기업은행이면 기업은행이지 IBK기업은행이라고 하는 연유는 무언가? 국민은행이면 된 거지 왜 KB국민은행이라고 해야 하는가? Korail은 기차표를 사다 보니 Korea Rail인 건 짐작하겠으나, 우리말로는 정확히는 모르겠다.

영어 약자가 우리말을 대체하고 말살하는 데 앞장서는 미친놈들 때문에 내가 미치겠다. 아니 많은 국민들이 미쳐가고 있다.

에이~.

세상이 말세다.

세상이 왜 이래?

이것도 테스형에게 물어봐야 하나?

(2021.3.25)

우리말과 우리글

책 소개

* 여기 소개하는 책들은 **주문형 도서(pod: publish on demand)**이 므로 시중 서점에는 없습니다. 교보문고나 부크크에 인터넷으로 주문하 시면 4-5일 걸려 배송됩니다.

http//pubple.kyobobook.co.kr/ 참조.

http://www.bookk.co.kr/store/newCart 참조.

여행기

〈러시아 여행기 1부: 아시아 편〉 시베리아를 횡단하며. 부크크. 2019. 국판 칼라. 296쪽. 24,300원. / 전자책 2,500원.

〈러시아 여행기 2부: 쌍 뻬쩨르부르그 / 황금의 고리〉 문화와 예술의 향기. 부크크. 2019. 국판 칼라. 264쪽. 19,500원. / 전자책 2,500원.

〈러시아 여행기 3부: 모스크바〉 동화 속의 아름다움을 꿈꾸며. 부크 크. 2019. 국판 칼라. 276쪽. 21,300원. / 전자책 2,500원.

〈마다가스카르 여행기〉 왜 거꾸로 서 있니? 부크크. 2019. 국판 칼라 276쪽. 21,300원. / 전자책 2,500원.

〈유럽여행기 1: 서부 유럽 편〉 몇 개국 도셨어요? 부크크. 2020. 국판 칼라. 280쪽. 21,900원.

〈유럽여행기 2: 북부 유럽 편〉 지나가는 것은 무엇이든 추억이 되는 거야. 부크크. 2020. 국판 칼라. 280쪽. 21,900원.

〈북유럽 여행기: 스웨덴 노르웨이〉 세계에서 제일 아름다운 곳. 부크크. 2019. 국판 칼라. 256쪽. 18,300원. / 전자책 2,500원.

〈유럽 여행기: 동구 겨울 여행〉 집착이 삶의 무게라고……. 부크크. 2019. 국판 칼라. 300쪽. 24,900원. / 전자책 3,000원.

〈포르투갈 스페인 여행기〉 이제는 고생 끝. 하느님께서 짐을 벗겨 주셨노라! 부크크. 2020. 국판 칼라. 200쪽. 14,500원. / 전자책 2,500원.

〈미국 여행기 1: 샌프란시스코, 라센, 옐로우스톤, 그랜드 캐년, 데스 밸리, 하와이〉 허! 참, 이상한 나라여! 부크크. 2020. 국판 칼라. 328쪽. 27,700원. / 전자책 3,000원.

〈미국 여행기 2: 캘리포니아, 네바다, 유타, 아리조나, 오레곤, 워싱턴 주〉 보면 볼수록 신기한 나라! 부크크. 2020. 국판 칼라. 278쪽. 21,600원. / 전자책 2,500원.

〈미국 여행기 3: 미국 동부, 남부. 중부, 캐나다 오타와 주〉 그리움을 찾아서. 부크크. 2020. 국판 칼라. 286쪽. 23,100원. / 전자책 2,500원.

〈멕시코 기행〉 마야를 찾아서. 부크크. 2020. 국판 칼라. 298쪽. 26,600원. / 전자책 3,000원.

〈페루 기행〉 잉카를 찾아서. 부크크. 2020. 국판 칼라. 250쪽. 17,000원. / 전자책 2,500원.

〈남미 여행기 1: 도미니카, 콜롬비아, 볼리비아, 칠레〉 아름다운 여행. 부크크. 2020. 국판 칼라. 262쪽. 19,200원. / 전자책 2,000원.

〈남미 여행기 2: 아르헨티나, 칠레〉 파타고니아와 이과수. 부크크. 2020. 국판 칼라. 270쪽. 20,400원. / 전자책 2,000원.

〈남미 여행기 3: 브라질, 스페인, 그리스〉 순수와 동심의 세계. 부크크. 2020. 국판 칼라. 252쪽. 17,700원. / 전자책 2,000원.

〈일본 여행기 1: 대마도 규슈〉 별 거 없다데스! 부크크. 2020. 국판 칼라. 202쪽. 14,600원. / 전자책 2,000원.

〈일본 여행기 2: 고베, 교토, 나라, 오사카〉 별 거 있다데스! 부크크. 2020. 국판 칼라. 180쪽. 13,700원. / 전자책 2,000원.

〈중국 여행기 1: 북경, 장가계, 상해, 항주〉 크다고 기 죽어? 교보문고 퍼플. 2017. 국판 211쪽. 9,000원. / 부크크. 전자책 2,000원.

〈중국 여행기 2: 계림, 서안, 화산, 황산, 항주〉 신선이 살던 곳. 교보문고 퍼플. 2017. 국판 304쪽. 11,800원. / 부크크. 전자책 2,000원.

〈타이완 일주기 1: 타이베이, 타이중, 아리산, 타이나, 가오슝〉 자연이 만든 보물 1. 부크크. 2020. 국판 칼라. 208쪽. 14,900원. / 전자책 2,000원.

〈타이완 일주기 2: 헌춘, 컨딩, 타이동, 화렌, 지룽, 타이베이〉 자연이 만든 보물 2. 부크크. 2020. 국판 칼라. 166쪽. 13,200원. / 전자책 1,500원.

〈태국 여행기: 푸켓, 치앙마이, 치앙라이〉 깨달음은 상투의 길이에 비례한다. 교보문고 퍼플. 2018. 국판 202쪽. 10,000원. 부크크 전자책 2,000원.

〈동남아 여행기 1: 미얀마〉 벗으라면 벗겠어요. 교보문고 퍼플. 2018. 국판 302쪽. 11,800원. / 부크크. 전자책 2,000원.

〈동남아 여행기 2: 태국〉 이러다 성불하겠다. 교보문고 퍼플. 2018. 국판 212쪽. 9,000원. / 부크크. 전자책 2,000원.

여행기

〈동남아 여행기 3: 라오스, 싱가포르, 조호바루〉 도가니와 족발. 교보문
고 퍼플. 2018. 국판 244쪽. 11,300원. / 부크크. 전자책 2,000
원.

〈동남아시아 여행기: 수코타이, 파타야, 코타키나발루〉 우좌! 우좌! 부크
크. 2019. 국판 칼라 234쪽. 16,200원. / 전자책 2,000원.

〈인도네시아 기행〉 신(神)들의 나라. 부크크. 2019. 국판 칼라 132쪽.
12,000원. / 전자책 2,000원.

〈중앙아시아 여행기 1: 카자흐스탄, 키르기스스탄〉 천산이 품은 그림.
부크크. 2020. 국판 칼라 182쪽. 13,800원. / 전자책 2,000원.

〈중앙아시아 여행기 2: 카자흐스탄, 키르기스스탄〉 천산이 품은 그림 2.
부크크. 2020. 국판 칼라 180쪽. 13,700원. / 전자책 2,000원.

〈조지아, 아르메니아 여행기 1〉 코카사스의 보물을 찾아 1. 부크크.
2020. 국판 칼라 184쪽. 13,900원. / 전자책 2,000원.

〈조지아, 아르메니아 여행기 2〉 코카사스의 보물을 찾아 2. 부크크.
2020. 국판 칼라 182쪽. 13,800원. / 전자책 2,000원.

〈조지아, 아르메니아 여행기 3〉 코카사스의 보물을 찾아 3. 부크크.
2020. 국판 칼라 192쪽. 14,200원. / 전자책 2,000원.

〈터키 여행기 1: 이스탄불 편〉 허망을 일깨우고. 교보문고 퍼플. 2017. 국판 235쪽. 9,700원. / 부크크. 전자책 2,500원.

〈터키 여행기 2: 트로이, 에베소, 파묵칼레, 괴뢰메 등〉 잊혀버린 세월을 찾아서. 교보문고 퍼플. 2017. 국판 254쪽. 10,200원. / 부크크. 2019. 전자책 2,500원.

〈시리아 요르단 이집트 기행〉 사막을 경험하면 낙타 코가 된다. 부크크. 국판 268쪽. 14,600원. / 전자책 2,500원.

우리말 관련 사전 및 에세이

〈우리 뿌리말 사전: 말과 뜻의 가지치기〉. 재개정판. 교보문고 퍼플. 2020. 국배판 916쪽. 75,500원. /전자책 20,000원.

〈우리말의 뿌리를 찾아서 1〉 코리아는 호랑이의 나라. 교보문고 퍼플. 2016. 국판 240쪽. 11,400원. / e퍼플. 2019. 전자책 247쪽. 4,000원.

〈우리말의 뿌리를 찾아서 2〉 아내는 해와 같이 높은 사람. 교보문고 퍼플. 2016. 국판 234쪽. 11,100원.

우리말 관련 사전 및 에세이

〈우리말의 뿌리를 찾아서 3〉 안데스에도 가락국이……. 교보문고 퍼플.
2017. 국판 239쪽. 11,400원.

수필: 삶의 지혜 시리즈

〈삶의 지혜 1〉 근원(根源): 앎과 삶을 위한 에세이. 교보문고 퍼플.
2017. 국판 249쪽. 10,100원.

〈삶의 지혜 2〉 아름다운 세상, 추한 세상 어느 세상에 살고 싶은가요?
교보문고 퍼플. 2017. 국판 251쪽. 10,100원.

〈삶의 지혜 3〉 정치와 정책. 교보문고. 퍼플. 2018. 국판 296쪽. 11,500
원.

〈삶의 지혜 4〉 미국의 문화와 생활, 부크크. 2021. 국판 270쪽. 15,600
원.

〈삶의 지혜 5〉 세상이 왜 이래? 부크크. 2021. 국판 248쪽. 14,800원.

〈삶의 지혜 6〉 삶의 흔적이 내는 소리. 부크크. 2021. 국판 280쪽.
16,000원.

〈삶의 지혜 7〉 밝은이 일기. 부크크. 근간.

기타 전문 서적

〈4차 산업사회와 정부의 역할〉 부크크. 2020. 152 * 225 84쪽.
8,200원. ISBN 9791137209473 / 전자출판. 2,000원.

〈4차 산업시대에 대비한 사회복지정책학〉 교보문고 퍼플. 2018.
152 * 225 양장 753쪽. 42,700원. ISBN 9788924056594

〈사회과학자를 위한 아리마 시계열분석〉 교보문고 퍼플. 2018. 258
쪽. 국판. 10,100원. ISBN 9788924056273

〈회귀분석과 아리마 시계열분석〉 한국학술정보. 2013. 152 * 225
188쪽. 14,000원. ISBN 9788926846438(8926846431) / 전
자책 8,400원.

〈사회복지정책론〉 송근원 김태성 공저. 나남. 2008. 153 * 224
ISBN9788930033688(8930033687) 424쪽. 16,000원.

〈선거공약과 이슈전략〉 한울. 1992. 국판 206쪽. 5,500원. ISBN
9788946020153(8946020156)

지은이 소개

- 송근원
- 대전 출생
- 전 경성대학교 교수, 법정대학장, 대학원장.
- e-mail: gwsong51@gmail.com
- 여행을 좋아하며 우리말과 우리 민속에 남다른 애정을 가지고 있음.
- 저서: 세계 각국의 여행기와 수필 및 전문서적이 있음